Chère lectrice,

Si le mois de septembre marque la fin de l'été, c'est aussi le moment propice pour les nouveaux départs et les bonnes résolutions ! C'est ce que pensent aussi nos héroïnes, qui vont décider de faire table rase du passé et de se lancer avec passion dans de nouvelles aventures. Ainsi, dans *Un amant italien* (Janette Kenny, Azur n° 3392), la fougueuse Delanie doit-elle prendre des décisions qui bouleverseront à jamais son existence, lorsqu'elle voit ressurgir dans sa vie l'homme qui lui a jadis brisé le cœur et qui tient à présent son destin entre ses mains. Un roman intense qui ne manquera pas de vous émouvoir.

Tout comme le bouleversant roman de Maisey Yates, *Le play-boy de Santa Christobel* (Azur n° 3395). Pour ce sixième tome de votre saga « La Couronne des Santina », c'est dans l'intimité de la princesse Carlotta Santina que vous aurez le plaisir infini — et le privilège exclusif ! — d'entrer. Une jeune femme hors du commun, prête à tout pour protéger son enfant, déchirée entre ses devoirs royaux et son irrésistible envie de vivre pleinement.

Je vous souhaite une très belle rentrée, et un excellent mois de lecture.

La responsable de collection

Un secret irrésistible

EMMA DARCY

Un secret irrésistible

Collection : Azur

Cet ouvrage a été publié en langue anglaise
sous le titre :
AN OFFER SHE CAN'T REFUSE

Traduction française de
JEAN-BAPTISTE ANDRE

HARLEQUIN®
est une marque déposée par le Groupe Harlequin

Azur® est une marque déposée par Harlequin S.A.

83-85, boulevard Vincent-Auriol, 75646 PARIS CEDEX 13.

Service Lectrices — Tél. : 01 45 82 47 47

www.harlequin.fr

ISBN 978-2-2802-7984-0 — ISSN 0993-4448

1.

— Regarde maman, on dirait une voile géante ! s'exclama Théo.

Du doigt, le petit garçon désignait avec fascination le plus célèbre immeuble de Dubai : Burj-al-Arab, le seul hôtel sept étoiles au monde. Attendrie, Tina Savalas ébaucha un sourire et ébouriffa les cheveux de son fils, âgé de cinq ans.

— Je crois que c'est l'idée, oui.

Erigé sur une île artificielle, le bâtiment avait tout d'une voile gonflée par le vent. Elle aussi était impatiente d'en découvrir l'intérieur. Sa sœur, Cassandra, lui avait assuré que l'hôtel était fabuleux. C'était elle qui lui avait recommandé de s'y arrêter sur son chemin pour Athènes.

Séjourner au Burj-al-Arab était bien entendu au-dessus de ses moyens. Comment aurait-elle pu se permettre de dépenser plusieurs milliers de dollars pour une simple chambre ? Ce genre d'hôtels étaient des havres pour les puissants de ce monde. Pour des hommes tels que le père de Théo, en fait… D'ailleurs, elle aurait juré qu'Ari y avait fait escale lorsque, des années plus tôt, il était rentré en Grèce après leur brève idylle.

D'un geste décidé, elle replaça ses cheveux derrière ses oreilles. Ce n'était pas le moment de se laisser gagner par l'amertume qui menaçait d'empoisonner sa journée. C'était entièrement sa faute si elle était tombée enceinte. Comment avait-elle pu croire qu'Ari Zavros était amoureux d'elle juste parce qu'elle l'était de lui ? Il fallait être naïve et stupide… Et puis, comment regretter la naissance de Théo ? Oui, son fils était la lumière de sa vie.

Une secousse attira son attention vers l'extérieur. Leur taxi venait de s'arrêter au poste de contrôle qui commandait l'accès à l'hôtel. Evidemment, seuls les clients étaient autorisés à le franchir. Elle jeta un regard oblique à sa mère qui, sur la requête d'un garde, sortait le document attestant de leur réservation au restaurant. Une folie à cent soixante-dix dollars par tête…

Le gardien leur fit signe d'avancer. A petite vitesse, le taxi franchit le pont qui conduisait à l'entrée.

— Regarde, maman ! Un chameau !

— C'est un faux, expliqua-t-elle, en se tournant vers la pelouse que son fils lui désignait. Une statue.

— Je peux m'asseoir dessus ?

— Plus tard peut-être, quand nous repartirons.

— Tu prendras une photo de moi dessus pour que je la montre à mes amis ?

— Je suis sûre que nous ramènerons plein de photos de ce voyage, le rassura-t-elle avec un sourire

Un portier les accueillit à leur descente du taxi et les fit pénétrer dans l'incroyable hall d'entrée. Jamais elle n'avait vu une telle opulence ! Les photos ne lui faisaient pas justice… Bouche bée, ils admirèrent les énormes colonnes d'or et les balcons intérieurs qui les surplombaient. Les plafonds, peints d'un dégradé allant du bleu nuit à l'aigue-marine, s'ornaient de spots lumineux évoquant autant d'étoiles.

Plus loin, des fontaines séparaient deux rangées d'escaliers mécaniques flanqués de gigantesques aquariums. Des bancs de poissons exotiques dansaient parmi les coraux, traçant des arabesques éclatantes derrière les épaisses parois. Théo fut aussitôt captivé par ce spectacle.

— C'est incroyable, murmura la mère de Tina. Ton père adorait l'architecture traditionnelle. Il pensait que rien ne pouvait rivaliser avec les cathédrales et les palais d'antan. Mais je dois avouer que cet endroit est à couper le souffle. J'aimerais qu'il soit là pour le voir.

A ces mots, Tina caressa la main de sa mère avec tendresse. Son père avait beau être mort depuis plus d'un an, sa mère portait toujours le noir du deuil. Il lui manquait à elle aussi, même si elle savait qu'elle l'avait déçu en décidant d'élever un enfant seule. Mais cela ne l'avait pas empêché d'être un grand-père merveilleux pour Théo…

Malheureusement, il n'avait pas vécu assez longtemps pour assister au mariage de Cassandra.

Tina laissa échapper un soupir. Oui, contrairement à elle, Cassandra avait tout réussi. Mannequin réputé, elle était tombée amoureuse d'un photographe grec — la nationalité parfaite — et s'apprêtait se marier à Santorin, l'île la plus romantique de l'archipel. Leur père aurait été si fier de la mener à l'autel ! Tandis qu'elle…

Un sentiment de culpabilité bien connu l'envahit. Elle se montrait trop dure avec elle-même, elle le savait. Malgré tout, elle avait réussi quelque chose : donner naissance au premier garçon de la famille. Et puis, sans elle pour reprendre les rênes, le restaurant familial aurait sans doute disparu avec son père.

Alors pourquoi ne parvenait-elle pas à éprouver un bonheur total ? Une fois de plus, la raison s'imposa à son esprit : son innocence avait disparu lorsque Ari Zavros était parti sans un regard en arrière. Mais il lui restait Théo ! Il était sa seule source de joie désormais. Et elle lui consacrait chaque seconde de son temps libre.

S'arrachant à ses pensées, elle adressa un sourire au groom qui les conduisait vers l'ascenseur qui menait au SkyView, le bar panoramique du vingt-septième étage. Ils traversèrent une mosaïque entourant un soleil flamboyant, puis un immense tapis en forme de poisson rouge et or. Des arrangements floraux offraient au visiteur une véritable explosion de couleurs, les portes de l'ascenseur elles-mêmes arboraient d'élégants motifs. Tout était incroyablement luxueux, pensé dans le moindre détail.

Dès leur sortie de l'ascenseur, une hôtesse les mena à leur table. Située près d'une fenêtre, elle offrait une vue imprenable sur la ville de Dubai et sur l'île artificielle de Palm Jumeirah, paradis des stars et des milliardaires.

Ce monde était tellement différent du sien… Mais elle pouvait, au moins l'espace d'une journée, en profiter. Elle adressa un sourire aimable au serveur qui leur tendit une liste interminable des thés disponibles, tandis qu'un autre déposait devant eux un bol de fraises à la crème et des flûtes de champagne. Le menu était impressionnant ! Aurait-elle assez d'appétit pour manger tout ce qu'il contenait ? Probablement pas, mais elle ferait de son mieux !

Sa mère souriait, Théo regardait la vue avec des yeux ronds comme des soucoupes.

Oui, c'était décidément une belle journée qui s'annonçait.

Vingt-sept étages plus bas, Ari Zavros s'ennuyait ferme. Quelle erreur il avait commis en invitant Felicity Fullbright à l'accompagner à Dubai ! Mais elle lui avait au moins permis de comprendre une chose : cette fille n'était pas faite pour lui. Cette façon de voir la vie comme une suite de cases à cocher était insupportable. La dernière en date consistait à aller prendre le thé au Burj-al-Arab.

— J'ai fait le Ritz et le Dorchester à Londres, avait-elle énuméré, le Waldorf Astoria à New York, l'Empress sur Vancouver Island. Je ne peux pas passer à côté d'une telle occasion !

De mauvaise grâce, il avait accepté de l'accompagner, renonçant à se reposer entre ses rendez-vous d'affaires. Depuis qu'ils étaient à Dubai, Felicity l'avait traîné à la piste de ski artificielle, au parc sous-marin, au souk de l'Or. Là, elle avait choisi plusieurs bijoux sans même faire mine de les payer elle-même. Bien sûr, il était loin d'être naïf, mais il avait rarement vu une femme aussi ouvertement intéressée par sa fortune.

La seule qualité de Felicity à vrai dire, et elle rachetait beaucoup de ses défauts, était qu'elle se taisait au lit et utilisait ses lèvres à des fins très agréables. Mais même cela ne lui suffisait plus… Dieu merci, son calvaire touchait à sa fin. Dès leur arrivée à Athènes, il la renverrait à Londres. Pas question qu'elle assiste au mariage de son cousin à Santorin. Son père allait sans doute lui en faire le reproche, mais il s'en moquait. Il n'épouserait jamais l'héritière des Fullbright. Plutôt mourir vieux garçon !

A cette pensée, il esquissa un sourire. Fort heureusement, il n'en était pas encore là. Il devait bien y avoir, quelque part dans le monde, une femme faite pour lui. Et par « faite pour lui », il n'entendait pas le genre d'alchimie que l'on ne trouvait que dans les romans de gare. Il s'était déjà brûlé les ailes au feu de la passion et il était hors de question de recommencer. Non, il voulait simplement une fille qu'il supporterait plus de trois jours.

Son père avait au moins raison sur un point… Il était temps pour lui de fonder une famille. Il adorait jouer avec ses neveux et voulait lui aussi des enfants. Restait le délicat problème de trouver leur mère…

Réprimant un soupir, il reporta son attention sur Felicity. Une fois de plus, elle testait sa patience en prenant des centaines de photographies de l'intérieur de l'hôtel, comme si elle était incapable de simplement regarder autour d'elle et d'apprécier ce qu'elle voyait. Encore une de ses habitudes qu'il détestait, ce besoin de mitrailler à tout-va pour se créer des souvenirs. Lui aimait vivre dans l'instant !

Après ce qui lui parut une éternité, ils furent conduits à leur table au SkyView Bar. Mais Felicity refusa de s'asseoir.

— Je n'aime pas cette table, murmura-t-elle furieusement, agrippant Ari par le bras pour le retenir.

— Qu'est-ce qu'elle a ? demanda-t-il d'un ton qu'il savait plus sec que nécessaire.

De la tête, la jeune femme désigna leurs voisins.

— Je ne veux pas être près d'un gamin. Il va probablement faire du bruit et gâcher notre après-midi.

En silence, il observa la famille attablée près d'eux. Un jeune garçon, cinq ou six ans au plus, se tenait debout devant la paroi vitrée. Une femme élégante, au visage qui rappelait Sophia Loren, était assise à côté de lui. Sans doute sa grand-mère. Une femme plus jeune lui tournait le dos, il n'en voyait que les cheveux courts et les épaules graciles.

— Il ne va rien gâcher du tout, répondit-il enfin. Et au cas où tu ne l'aurais pas remarqué, toutes les autres tables sont occupées.

Felicity plissa les lèvres en une moue boudeuse.

— Mais je suis sûre que, si tu l'exiges, on nous trouvera quelque chose.

— Je ne veux pas déloger d'autres clients. Assieds-toi et détends-toi.

La mine frondeuse, Felicity rejeta ses cheveux blonds par-dessus son épaule — signe qu'elle était irritée — avant d'obéir. Aussitôt, un serveur se matérialisa pour leur verser du champagne et leur tendre les menus.

— Pourquoi est-ce que les chaises sur la plage sont toutes alignées, Yiayia ?

La voix du petit garçon résonna, claire et distincte, arrachant une grimace à Felicity. Ari reconnut un accent australien mais s'étonna d'entendre l'enfant employer le mot grec pour « grand-mère ».

— La plage appartient à l'hôtel, Théo. Les chaises sont disposées pour le confort des clients, expliqua la femme la plus âgée avec un fort accent grec.

— Ils ne font pas comme ça à Bondi Beach.

— Non. Bondi Beach est une plage publique, les gens peuvent s'installer où bon leur semble.

Le petit garçon se tourna vers sa grand-mère, sourcils froncés.

— Et ici, on n'a pas le droit, Yiayia ?

C'était un enfant ravissant, au regard vif et aux cheveux châtain clair. Il aurait presque pu se reconnaître en lui au même âge.

— Pas si tu n'es pas client de l'hôtel.

— Alors je préfère Bondi.

Ari ne put réprimer un sourire, mais Felicity se rembrunit.

— Nous allons devoir supporter ce tapage tout l'après-midi ? Je ne sais pas pourquoi les gens amènent leurs enfants dans un endroit pareil. Ils devraient rester chez eux.

— Tu n'aimes pas les enfants ? demanda-t-il d'une voix suave.

— Je les aime quand ils restent à leur place.

— Pour ma part, je ne vois aucune objection à ce qu'une famille passe du temps ensemble, où que ce soit.

Cela eut le mérite de faire taire Felicity.

L'après-midi s'annonçait très longue…

Tina sentit ses cheveux se dresser sur sa nuque en entendant une voix grave derrière elle. Cette voix lui en rappelait une autre, une voix qui l'avait séduite autrefois, une voix qui lui avait laissé croire qu'elle était spéciale.

Pourtant il ne pouvait s'agir d'Ari.

Elle brûlait d'envie de se retourner. Mais à quoi bon laisser un fantôme lui gâcher l'après-midi ? Ari Zavros appartenait au passé. Six ans plus tôt, il lui avait clairement fait comprendre que son départ était définitif, la reléguant au rang « d'agréable souvenir ». Et puis, ce ne pouvait pas être lui. En fait, c'était même statistiquement impossible.

Son imagination lui jouait des tours, voilà tout. Il était ridicule de s'enflammer à cause d'une simple voix. L'homme, de plus, était accompagné. Elle avait entendu sa compagne, une Britannique à l'accent pincé, se plaindre de la présence de Théo.

Mieux valait ne plus penser à eux. Secouant la tête pour chasser les souvenirs qui l'envahissaient, elle reporta son attention sur les délices présentés sur un plateau à étages. Son thé, au nom évocateur de Perles de jasmin, dégageait un fumet délicieux. Quant à la tranche de bœuf Wellington servie avec une purée de betterave qu'elle venait de manger, elle était absolument exquise. Pourquoi laisser les fantômes du passé gâcher ce moment ? Elle étudia avec appétit les divers mets empilés sur le plateau : sandwichs aux œufs et au saumon, petits soufflés aux fruits de mer, choux au poulet sauce moutarde, tomates et bocconcini sur du pain à l'encre de seiche. Il était impossible de goûter à tout.

Comme à l'accoutumée, Théo fondit sur le poulet et sa mère sur le fromage, ce qui lui laissait tout le loisir de se repaître de fruits de mer. Tous trois refusèrent poliment lorsque le serveur leur proposa un second service. Ils savaient que les desserts allaient bientôt arriver… Et quels desserts ! Il y avait du cake, des scones avec ou sans raisins accompagnés d'un assortiment de confitures, de la crème fouettée, une mousse à la fraise et une autre aux fruits de la passion, du fondant au chocolat… Un véritable festin en somme !

Hors de question de laisser le souvenir d'Ari Zavros s'immiscer dans ces moments privilégiés. De toute façon, l'homme derrière elle était désormais silencieux. C'était surtout la femme qui parlait, essentiellement pour comparer le thé avec ceux qu'elle avait dégustés dans d'autres hôtels de luxe.

La voix de sa mère la tira de ses pensées.

— Je suis ravie que nous nous soyons arrêtés à Dubai. L'architecture est incroyable. Tu as vu cet immeuble en forme de vague, là-bas ? Et dire que tout ça s'est produit en l'espace de… quoi, trente ans ?

— A peu près.

— Ça montre ce qu'il est possible de faire de nos jours.

— Quand on a de l'argent, oui ! Mais je suis contente d'être venue, moi aussi. C'est un endroit étonnant.

Avec un sourire, sa mère se pencha vers elle et murmura d'un ton conspirateur :

— Le type assis juste derrière toi est d'une beauté à couper le souffle. Je parie que c'est une vedette de cinéma. Regarde et dis-moi si tu le reconnais.

Aussitôt, Tina sentit un frisson d'alarme la parcourir. Ari Zavros était un homme très séduisant lui aussi… Pourquoi ne pas jeter un œil, après tout ? Cela aurait le mérite de dissiper ses craintes une fois pour toutes.

Lentement, elle tourna la tête et eut soudain l'impression d'être percutée par un train lancé à pleine vitesse. Comment était-ce possible ? Il lui fallut toute sa volonté pour reprendre ses esprits et répondre d'une voix la plus neutre possible :

— Je ne l'ai jamais vu dans un film.

Dieu merci, il semblait qu'elles n'avaient pas attiré l'attention d'Ari…

Ari ! Il était toujours aussi frappant, son beau visage encadré d'une crinière châtain nuancée de mèches dorées. Ses longs cils, ses yeux ambre, son nez aquilin et son profil arrogant… Il était exactement le même homme que dans son souvenir, jusqu'à ces hautes pommettes qui imprimaient à ses traits une noblesse naturelle.

— Ça doit quand même être quelqu'un de connu, observa sa mère.

Tina sentit la panique l'envahir. Il ne fallait surtout pas qu'il les remarque !

— Arrête de le regarder, s'exclama-t-elle.

Mais sa mère haussa les épaules d'un air indifférent.

— Je ne fais que lui rendre la faveur. Il n'arrête pas de nous observer.

Il les observait ? Tina réprima une furieuse envie de prendre ses jambes à cou. Pourquoi Ari s'intéressait-il à eux ? Avait-il entendu leur accent ? Ce dernier lui avait-il rappelé les trois mois qu'il avait passés en Australie ?

Il n'avait pas pu la reconnaître de dos, se rassura-t-elle. Il l'avait connue avec des cheveux longs et bouclés, elle les portait à présent courts. Non, le problème, c'était qu'Ari était arrivé bien après eux. En partant, elle serait obligée de passer devant sa table. Et s'il levait les yeux, s'il croisait son regard, l'espace d'une seconde…

Un espoir fugitif la traversa. Peut-être ne la reconnaîtrait-il pas. Après tout, des années s'étaient écoulées et de nombreuses femmes lui avaient succédé dans les bras d'Ari. Au bout d'un moment, leurs visages devaient finir par s'estomper. Ou du moins, elle ne pouvait que l'espérer. L'inverse étant bien trop pénible à envisager.

Si elle était sûre d'une chose, c'était bien qu'elle ne voulait pas voir Ari Zavros revenir dans sa vie. C'était après mûre réflexion qu'elle avait choisi d'avoir son bébé sans le lui dire. Quelle différence de toute façon, puisqu'il était déjà parti ? Mais elle n'oubliait pas qu'elle avait payé le prix fort pour son silence. Pendant des mois, elle avait résisté à toutes les questions de son père, à son insistance pour savoir qui était le géniteur de son futur petit-fils. Peut-être avait-elle eu tort, mais elle n'avait jamais regretté sa décision.

Non, même lorsque Théo lui avait, il y a peu, demandé pourquoi il n'avait pas de papa comme ses amis, elle n'avait pas éprouvé la moindre culpabilité à lui expliquer que certains enfants avaient seulement une maman, et que c'était très bien ainsi. Et Ari ne pourrait qu'avoir une influence perturbatrice sur leurs vies. Elle avait travaillé assez dur pour élever son fils dans une atmosphère confortable et sereine, elle ne laisserait pas son ancien amant détruire ses efforts.

Comment éviter une confrontation ? Après tout, peut-être ne serait-ce pas si difficile ? Ari n'allait sûrement pas abandonner sa compagne pour se lancer dans une évocation du passé avec l'une de ses ex. De plus, il était toujours possible qu'il ne la reconnaisse pas.

Quoi qu'il en soit, elle devait s'arranger pour que sa mère et Théo partent avant elle. Hors de question de les voir mêlés à ce scénario apocalyptique !

2.

Le reste de l'après-midi sembla s'écouler au ralenti. Tina avait l'impression de vivre un véritable cauchemar. Comment aurait-elle pu se concentrer sur les délices du menu tant son esprit était occupé par la présence d'Ari ? Telle Alice à la fête du Chapelier fou, elle avait l'impression que la Reine de cœur allait surgir pour lui couper le cou.

Heureusement, ni sa mère ni Théo ne semblaient remarquer la tension qui l'habitait. Sa mère venait d'achever une tarte à la figue et un macaron au thé vert, Théo, de son côté, avait fait un sort à un gâteau au chocolat blanc. Sans conviction, elle se força à avaler un caramel mou. Un nouvel assortiment venait d'apparaître : une fraise trempée dans du chocolat et décorée d'une feuille d'or, une tarte au citron meringuée..., plus, toujours plus. Ce repas ne finirait-il donc jamais ? Combien de temps devrait-elle encore faire semblant de se régaler alors que son estomac se révoltait ?

Combien de temps encore à sourire à Théo, à sa mère ? En réalité, elle souriait tant que les muscles de son visage lui faisaient mal. Silencieusement, elle maudit Ari Zavros d'avoir gâché une expérience qui aurait dû être unique. Evidemment, il pouvait gâcher bien davantage et c'était de cela qu'elle devait se souvenir.

Enfin, sa mère suggéra de redescendre et d'explorer

le grand hall d'entrée, ce à quoi Théo acquiesça avec enthousiasme.

— Oh oui ! Je veux revoir les poissons, Yiayia ! Et m'asseoir sur le chameau.

Tina laissa échapper un soupir de soulagement. C'était le moment d'agir et elle avait soigneusement planifié ce qu'elle allait dire. La suggestion devait sembler naturelle, raisonnable.

— Je vous retrouve en bas. Je voudrais prendre quelques photos depuis différents points de vue.

— Bien sûr, répondit sa mère. Allez, viens, Théo.

Tina les suivit du regard tandis qu'ils s'éloignaient main dans la main. Mission accomplie, songea-t-elle. A présent, il s'agissait de passer devant Ari sans se faire remarquer et elle serait libre.

Pour faire bonne mesure, elle prit quelques photos de la vue depuis la fenêtre puis, le cœur battant à cent à l'heure, se dirigea vers l'ascenseur, marchant le plus vite possible.

Soudain, elle se figea : Ari Zavros regardait droit vers elle. Elle vit la stupeur se peindre sur ses traits quand il la reconnut et, malgré elle, elle sentit ses jambes faiblir. Incapable du moindre mouvement, elle fixa son ancien amant avec effarement.

— Christina…

Il avait prononcé son nom d'un ton de plaisante surprise. Un large sourire étirait ses lèvres lorsqu'il se leva. Il s'excusa auprès de sa compagne, qui tourna vers Tina un regard bleu glacial. Blonde, la peau laiteuse et les lèvres pulpeuses comme un fruit mûr, la femme était très belle. Etait-elle la dernière potiche en date, ou quelque chose de plus sérieux ?

Cela n'avait aucune importance, après tout. L'important, c'était de se tirer de ce mauvais pas au plus vite !

— Tu t'es coupé les cheveux, observa-t-il d'un ton de reproche.

— Je les préfère courts, répliqua-t-elle sèchement.

Dieu merci, elle avait retrouvé l'usage de la parole et sa voix n'avait presque pas tremblé.

— Qu'est-ce que tu fais à Dubai ? interrogea Ari, le regard pétillant de curiosité.

— Je visite. Et toi ?

— Voyage d'affaires.

— Sans oublier le plaisir, ironisa-t-elle avec un coup d'œil vers la blonde. Je ne veux pas te retenir, Ari. De toute façon, après toutes ces années, que pourrions-nous bien nous dire ?

— Je peux te dire que je suis content de te voir, même avec tes cheveux courts, répondit-il avec un sourire dévastateur.

A ces mots, elle sentit son estomac se tordre. De toutes ses forces, elle se rebella contre la faiblesse qui l'envahissait. Comment osait-il flirter avec elle alors qu'il était avec une autre ? Comment osait-il flirter avec elle tout court après l'avoir abandonnée ?

Elle aurait voulu le gifler, effacer d'un revers de la main ce sourire arrogant, ce charme insupportable. Mais sa dignité le lui interdisait ?

— Je ne suis plus celle que tu as connue. A présent, si tu veux bien m'excuser, je dois rejoindre ma mère.

Cette fois, ses jambes lui obéirent. Mais au moment où elle allait dépasser Ari, il la retint par le bras. Involontairement, elle ferma les yeux en sentant son parfum épicé, le même qu'autrefois, s'élever dans l'air.

Les yeux ambre d'Ari fouillèrent les siens, perplexes, comme s'il ne comprenait pas pourquoi elle se montrait si froide.

— C'était ton fils, tout à l'heure ? Tu es mariée ?

Instinctivement, elle serra les poings. Comme elle aurait aimé pouvoir répondre par l'affirmative, lui laisser croire qu'elle l'avait oublié sitôt après son départ !

C'était ce qu'elle aurait dû lui dire, ne serait-ce que

pour lui fermer la porte à tout jamais, pour éliminer toute possibilité de reprendre où ils s'étaient arrêtés.

Prétends que tu es mariée ! hurlait sa raison.

Mais une tempête lui déchirait le cœur. Et de ce tumulte d'émotions montait une voix insidieuse, tentatrice.

Dis-lui la vérité. Donne-lui une leçon.

Un instinct rebelle lui fit relever la tête et soutenir le regard d'Ari.

— Oui, c'était Théo. Mon fils. Mais je ne suis pas mariée.

Lorsqu'il fronça les sourcils, comme si l'idée qu'une femme puisse élever un enfant seule lui déplaisait, elle sentit la colère l'envahir. Comment osait-il la juger ? Il méritait une bonne leçon.

— Théo est aussi ton fils, s'entendit-elle répondre.

Aussitôt, le sourire charmeur et assuré d'Ari disparut pour laisser place à une expression abasourdie. Réprimant un sentiment de jouissance presque féroce, elle força ses jambes à avancer et se dirigea vers l'ascenseur. Elle était presque sûre qu'Ari ne la poursuivrait pas. D'abord parce qu'il était en état de choc, ensuite parce qu'il ferait tout pour éviter une confrontation sous les yeux de sa compagne.

Cependant, elle préférait ne pas prendre le risque de s'attarder pour vérifier sa théorie. Dès qu'elle rejoindrait sa mère et son fils, elle prendrait pour prétexte d'avoir trop mangé pour justifier un départ précipité. De toute façon, ce n'était pas loin de la vérité : elle se sentait terriblement nauséeuse.

A l'abri derrière les portes closes de l'ascenseur, elle tenta de reprendre ses esprits. Bien sûr, elle avait eu tort de révéler à Ari que Théo était son fils et elle regrettait déjà son aveu. Mais elle avait été prise de court par son charisme, son charme insidieux. De toute façon, le mal était fait, restait à espérer qu'Ari ne la croirait pas. Sans quoi elle allait payer cher le bref moment de plaisir qu'elle avait éprouvé en lui clouant le bec.

Seigneur, pria-t-elle en son for intérieur, *faites qu'il ne m'ait pas prise au sérieux !*

Ce garçon… Cet enfant… Son fils ?

Ari se secoua de son étourdissement et fixa la femme qui s'éloignait à grands pas. Christina Savalas avait apparemment décidé de ne pas donner suite à sa fracassante révélation. Elle donnait même l'impression de s'enfuir.

Avait-elle dit la vérité ?

Il fit un rapide calcul mental. Il avait quitté l'Australie six ans plus tôt, l'âge de l'enfant collait donc. Il devait déterminer quand exactement il était né, une information qu'il n'aurait pas de mal à obtenir. Pour l'heure, il savait que le petit garçon s'appelait Théo Savalas. Et qu'il lui ressemblait comme deux gouttes d'eau !

Un frisson lui remonta le long de l'échine. Si Théo était son fils, cela signifiait qu'il avait abandonné une femme enceinte. Mais comment était-ce possible ? Il avait toujours pris ses précautions au lit, précisément pour se prémunir contre ce genre d'aléa. Etait-il possible qu'il ait oublié de se protéger, un soir, dans le feu de la passion ?

Car c'était bien de passion dont il s'était agi. Bien que vierge quand il l'avait connue, Christina avait été une amante fougueuse, intarissable. Aujourd'hui encore, il ne pouvait penser à leurs étreintes sans un émoi fort malvenu.

S'il l'avait abandonnée enceinte, cela changeait beaucoup de choses. Cela signifiait qu'il avait ruiné sa vie, sa carrière. Il comprenait mieux pourquoi il avait lu un tel mépris dans son regard.

Une chose était sûre : il ne pouvait balayer sa révélation d'un revers de la main. Il devait se renseigner. Si le garçon était son fils… pourquoi ne lui avait-elle rien dit ? Pourquoi l'élever seule pendant des années et lui assener la vérité seulement maintenant, au détour d'une rencontre due au hasard ?

— Ari…

Il faillit grincer des dents. Bon sang, il détestait la voix geignarde de Felicity.

— Qu'est-ce que tu fais encore debout ? Viens te rasseoir, elle est partie.

Un profond soupir lui échappa, mais il revint à sa table. Il n'avait pas de raison de se montrer grossier.

— Je pensais à l'Australie, où j'ai rencontré Christina, expliqua-t-il en regagnant sa place.

— Qu'est-ce que tu faisais en Australie ?

— J'étudiais leur industrie viticole. Je voulais voir s'il était possible d'améliorer nos propres méthodes de production.

— Et cette Christina ? Elle travaillait dans le vin ? demanda Felicity d'une voix soudain plus sèche.

— Pas vraiment. Elle faisait juste partie d'une campagne publicitaire pour Jacob's Creek.

— Tu veux dire qu'elle est mannequin.

— Elle l'était, à l'époque.

— Et tu t'es amusé avec elle.

La pique lui arracha une grimace mais il répondit d'un ton calme :

— C'est de l'histoire ancienne. J'étais juste surpris de la revoir ici, à Dubai.

— Apparemment, elle a un gamin, maintenant. Fini de s'amuser. Ça ne doit pas être rose tous les jours d'élever un enfant de cet âge.

Sans répondre, il se contenta de hausser les épaules. Il n'avait aucune envie de poursuivre cette conversation.

— Je n'en sais rien. Je ne suis qu'un homme.

— Et un homme très séduisant, répondit Felicity en lui posant la main sur la cuisse. C'est pour ça que je n'aime pas que tu regardes ailleurs…

Agacé, il lui décocha un sourire crispé. Oui, il aimait

regarder Christina. Contrairement aux femmes qu'il fréquentait habituellement, sa beauté n'était pas superficielle.

Il devait absolument la retrouver, lui parler. A l'évidence, elle était en vacances, il n'avait qu'à attendre qu'elle rentre en Australie. Entre-temps, il romprait avec Felicity et se rendrait au mariage de son cousin. Après quoi il aurait tout le loisir d'élucider la question qui le torturait.

Théo Savalas était-il son fils ?

Si c'était le cas, il lui faudrait changer son mode de vie afin d'intégrer ce nouveau facteur. Christina et lui trouveraient un arrangement, qu'elle le veuille ou non. Un père avait des droits et il ne reculerait devant rien pour les faire valoir.

Après tout, qu'y avait-il de plus important au monde que la famille ?

il [illegible]
[illegible]
[illegible]

3.

Pendant le reste de leur court séjour à Dubai, Tina fut incapable de se départir d'un sentiment d'angoisse permanent. L'idée qu'Ari Zavros se trouvait dans la même ville qu'elle la tourmentait.

Il avait certainement pris ses déclarations comme une plaisanterie. Et puis, une deuxième rencontre était statistiquement improbable. Pourtant, elle poussa un profond soupir de soulagement en embarquant pour Athènes, trois jours plus tard.

A peine avaient-ils posé le pied à Athènes qu'elle fut prise dans un véritable tourbillon. Oncle Dimitri, le frère aîné de son père, vint les accueillir à l'aéroport et les conduisit à son restaurant situé juste sous l'Acropole. Toute la famille s'était réunie pour les accueillir. Née en Australie, c'était la première fois qu'elle rencontrait bon nombre d'entre eux et, malgré leur accueil chaleureux, les embrassades, les tapes dans le dos et les éclats de rire, elle ne put s'empêcher de se sentir en marge. Les vieilles femmes parlaient d'elle à la troisième personne, comme si elle n'était pas là.

— Il va falloir trouver un mari à ta fille, Helen.

— Pourquoi s'est-elle coupé les cheveux ? Les hommes aiment les cheveux longs.

— C'est une bonne mère, ça se voit tout de suite, c'est l'essentiel.

— Et si en plus elle aide au restaurant…

Je dirige le restaurant, fut-elle tentée de répondre. Mais elle se maîtrisa et dirigea son attention vers son oncle Dimitri, étudiant d'un œil professionnel sa façon de travailler. Il ne quittait pas la salle des yeux, ce qui permettait à ses serveurs d'anticiper les besoins des clients. Le restaurant offrait aussi une tranche de pastèque à chacun à la fin du repas, un geste qui ne manquerait pas d'être apprécié par ces longues soirées d'été. Oui, il était évident que les gens repartaient satisfaits, et qu'ils reviendraient très certainement ou recommanderaient l'endroit à leurs amis.

Le cadre était d'ailleurs charmant. La plupart des tables étaient installées sur le trottoir, sous les arbres ou à l'abri de parasols. Des herbes poussaient dans des pots disposés sans ordre apparent, et emplissaient l'air de leur fragrance à la moindre brise. Quant à la la cuisine, elle était simple, à base de produits frais. Tina goûta à tout et apprécia particulièrement un assaisonnement à base d'huile d'olive, de miel et de vinaigre balsamique, une recette qu'elle se promit d'utiliser à son retour.

Bien que concentrée sur ce qui l'entourait, elle regardait sans cesse en direction de la porte. Cassandra avait laissé un message à leur hôtel précisant que son fiancé et elle les rejoindraient directement au restaurant. Depuis que Cass lui avait présenté George à Sydney, six mois plus tôt, elles ne s'étaient pas revues et elle était impatiente de la voir

— Les voilà ! s'exclama sa mère, les apercevant la première.

Un sourire radieux aux lèvres, Tina se retourna vers la porte d'entrée. Mais elle se pétrifia, horrifiée par le spectacle qui s'offrait à elle.

Sa sœur était bien là, plus resplendissante que jamais. A ses côtés, George Parasso irradiait de fierté. Juste derrière lui, Ari Zavros venait de franchir le seuil du restaurant.

Ari ? Mais comment…

— Tina, fit sa mère en fronçant les sourcils, ce ne serait pas l'homme que nous avons vu…

Un sifflement strident lui vrillait les oreilles et elle n'entendit pas le reste de la question. Quel destin sadique avait orchestré cette nouvelle rencontre ? Une rencontre d'autant plus embarrassante qu'elle lui avait avoué que Théo était son fils !

Tout le monde s'était levé pour embrasser les nouveaux venus. Ari se présenta comme le cousin de George, et son témoin au mariage. Son témoin ! Et elle qui était témoin de sa sœur… Le cauchemar ne faisait que commencer, un cauchemar dont elle était en grande partie responsable. Si seulement elle avait su tenir sa langue à Dubai, si seulement elle avait pu résister à la tentation de marquer un point facile !

Oui, si seulement… Mais il n'était plus temps de réécrire l'histoire. Et la lueur de défi qui brûlait dans les yeux ambre d'Ari, lorsqu'il se tourna vers elle, ne laissait aucun doute sur ses intentions. Il avait envie d'en découdre.

— Je suppose que c'est ta sœur ? demanda-t-il à Cass.

Cette dernière fit aussitôt les présentations.

— Oui, voici Tina ! Oh ! Tina, je suis ravie de te revoir. George et moi passons la nuit chez Ari. Quand je lui ai dit que tu serais là ce soir, il a insisté pour venir te rencontrer. Comme ça, vous aurez fait connaissance avant le mariage. Vous êtes nos témoins, c'est important.

Ainsi, Ari n'avait rien révélé de leur passé. C'était déjà ça.

Cassandra, pendant ce temps, avait fondu sur Théo. Elle le souleva à bout de bras.

— Et voici mon neveu. Théo sera notre page.

— Ta tante Cassandra m'a dit que c'était ton anniversaire cette semaine, dit Ari en souriant.

— Je vais avoir cinq ans, confirma l'intéressé en montrant cinq doigts.

— C'est mon anniversaire cette semaine aussi. Nous sommes tous les deux Lion.

— Non, je ne suis pas un lion, je suis un garçon.

Tout le monde se mit à rire, puis Cassandra expliqua :

— Nous sommes tous nés sous un signe qui correspond à la position des étoiles. Toi, tu es né sous le signe du Lion. D'ailleurs, tu as des yeux ambre, comme un lion.

— Lui aussi, répondit Théo en désignant Ari.

Horrifiée, Tina retint son souffle. Pourvu qu'il ne dise rien ! Pas maintenant !

— Enchanté de faire ta connaissance, Théo. Et celle de ta maman.

Le soulagement la submergea. Apparemment, il n'avait pas l'intention de faire valoir ses droits, du moins pas tout de suite.

— Tina, reprit Ari comme elle ne disait rien. C'est le diminutif de Christina ?

— Oui, répondit-elle d'une voix rauque.

Avec un sourire conquérant, il lui tendit la main et elle n'eut d'autre choix que de la prendre. Une décharge électrique lui traversa tout le corps lorsqu'il referma ses longs doigts sur les siens, rappel brûlant de l'alchimie sexuelle qui avait existé entre eux. Mais au lieu de la déstabiliser, cette réaction renforça sa résolution de ne pas se laisser séduire par cet homme. Si elle devait l'affronter pour la garde de Théo, elle ne pouvait se permettre la moindre faiblesse. Il n'était pas question de lui offrir la moindre emprise sur elle.

De nouvelles chaises furent apportées pour permettre à Cassandra de s'asseoir près de sa mère. Ari se retrouva en bout de table, tout près d'elle et Théo. Tendue, Tina plaqua sur ses lèvres un sourire de façade. Elle était coincée avec Ari et mieux valait en prendre son parti. Comment aurait-elle pu protester sans attirer les soupçons ? De plus, elle savait qu'elle était censée faire sa connaissance et, bien que répugnant à mentir sur leurs relations, elle se força à jouer le jeu.

— Quand avez-vous rencontré ma sœur ?

— Nous pourrions nous tutoyer, tu ne crois pas ?

Habile, concéda-t-elle mentalement.

— Je viens de faire sa connaissance, reprit-il. J'avais entendu parler d'elle, bien sûr, mais je ne la connaissais que sous le prénom de Cassandra, puisque c'est celui qu'elle utilise dans son métier. Ce n'est qu'à l'aéroport que j'ai lu son nom sur sa valise…

— Et tu l'as interrogée sur sa famille, répondit-elle à voix basse, sans cesser de sourire.

— Oui. C'était très intéressant.

De nouveau, elle sentit la peur lui étreindre le cœur. Elle inspira profondément pour s'en libérer.

— Tu habites à Athènes ?

— Pas vraiment. Nous y avons juste un appartement que chacun des membres de ma famille utilise à son gré.

— Je vois. Où vis-tu alors ?

Tout ce qu'elle savait d'Ari, c'était qu'il était le rejeton d'une famille grecque qui avait fait fortune dans le négoce de vin. Durant leur idylle, il avait rarement évoqué ses racines.

— Je vis un peu partout dans le monde, mais c'est à Santorin que je me sens chez moi.

— Nous allons à Santorin, s'exclama Théo, le dévisageant avec curiosité.

— Je sais. Peut-être que nous pourrions faire quelque chose de spécial pour ton anniversaire.

— Oh oui ! se réjouit le petit garçon. Quoi ?

— Nous verrons, intervint Tina.

L'idée de passer une minute de plus que nécessaire en compagnie d'Ari l'emplissait d'effroi. Quels étaient ses motifs ? Etait-il juste curieux ou essayait-il de s'immiscer dans leurs vies ? Bouleversée, elle posa sur lui un regard noir, presque hostile.

— Tu es marié ? Tu as des enfants ?

— Au grand dam de mon père, non, je suis célibataire.

— Célibataire, vraiment ?

Ari savait sans doute qu'elle faisait allusion à la blonde de Dubai, mais il ne tiqua pas.

— Oh ! je peux t'assurer que je le suis, Christina.

En l'entendant prononcer son prénom complet, un prénom qu'il avait autrefois employé dans leurs moments de plus profonde intimité, elle ne put réprimer un frisson. Le regard mordoré d'Ari, posé sur elle, ne semblait pas contenir la moindre trace de culpabilité. Peut-être disait-il la vérité, après tout…

— Un autre « agréable souvenir » à ajouter à ta liste ?

Ari fronça les sourcils. S'il se rappelait avoir employé ces termes précis en la quittant, il n'en montra rien.

— Ma dernière relation n'était pas particulièrement agréable, non. En fait, elle m'a ouvert les yeux. Mes priorités ont changé.

Il baissa les yeux sur Théo avant de reprendre d'une voix plus douce :

— Peut-être qu'il est temps pour moi d'avoir des enfants.

A ces mots, elle se sentit blêmir. Elle était prête à tout pour protéger son fils. Et permettre à Ari de revenir dans sa vie était une très, très mauvaise idée.

— Moi, je n'ai pas de papa, déclara Théo. J'avais un grand-père, mais il est tombé malade et il est allé au paradis.

— J'en suis désolé, répondit Ari.

— Etre parent, c'est un choix de vie, ajouta Tina en hâte. Ce n'est pas une chose à prendre à la légère.

— Je suis tout à fait d'accord avec toi.

— Je ne crois pas qu'une personne irresponsable et incapable de s'engager sur le long terme devrait avoir des enfants, renchérit-elle.

— Maman, ça veut dire quoi, irresponsable ?

— Ça veut dire quelqu'un qui ne s'occupera pas de

toi, qui ne t'aimera pas comme ta maman, tes grands-parents ou tes amis, expliqua gravement Ari. Tu as des amis, Théo ?

— J'en ai plein ! fanfaronna l'intéressé.

— Dans ce cas, tu dois être heureux.

— Très heureux, renchérit Tina, lançant à Ari un regard dans lequel elle espérait qu'il lirait clairement *sans toi*.

— Tu dois être une mère admirable, Christina. J'imagine que ce n'est pas facile d'élever un enfant seule.

— Je n'ai jamais été seule. Mes parents étaient là.

— Ta famille, murmura son compagnon d'un air approbateur. C'est important. Un homme ne devrait jamais tourner le dos à sa famille.

Le défi qu'elle lut dans ses yeux fit abandonner toute prudence à Tina. Elle se pencha vers lui pour chuchoter furieusement :

— C'est toi qui nous as abandonnés !

— Il est difficile d'abandonner un fils dont on ignore l'existence ! répliqua-t-il en se penchant à son tour pour parler sans être entendu de Théo. Nous pouvons régler ça en douceur ou employer la manière forte. Dis-moi ce que tu préfères.

— Régler quoi ?

— Nous battre pour notre enfant ne profitera à personne.

— Je suis d'accord. Ne nous battons pas. Laisse-nous tranquille et vis ta vie.

— Tu me demandes de faire comme si Théo n'existait pas ?

— Pourquoi pas ? Tu as bien fait comme si je n'existais pas.

— Une erreur que je compte bien corriger, crois-moi.

— Trop tard.

— C'est ce que nous verrons.

Cette fois, les hostilités étaient ouvertes. La détermination d'Ari, ses réponses cinglantes à toutes les objections qu'elle soulevait, laissaient présager un combat à mort.

Le cœur battant, elle regarda son compagnon sourire à Théo, qui dévorait goulûment une tranche de pastèque.

— C'est bon ?

La bouche pleine, le petit garçon acquiesça. La lueur de fierté qui brillait dans ses yeux quand Ari s'adressait à lui serra le cœur de Tina. Ce charme qu'il déployait, elle ne le connaissait que trop. Elle y avait succombé des années plus tôt et tout ça pour quoi ? Il l'avait abandonnée sans sourciller quand il s'était lassé d'elle. Mais comment l'expliquer à un enfant de cinq ans ?

— Cassandra m'a dit que tu tenais un restaurant à Bondi Beach ? demanda Ari en reportant son attention sur elle.

— Oui. Il appartenait à mon père. Il m'a formée quand sa santé a commencé à décliner.

— Ça doit t'imposer de longues heures de travail. Pas facile d'être une mère active.

Voulait-il sous-entendre qu'elle n'avait pas le temps de s'occuper de son fils ? Furieuse, elle le fusilla du regard.

— Nous habitons un appartement juste au-dessus du restaurant, répondit-elle d'une voix ferme. Dans la journée, Théo est au jardin d'enfants, qu'il adore. Le reste du temps, il est soit avec moi, soit avec ma mère. Et son terrain de jeu, c'est la plage. Au cas où tu ne l'aurais pas remarqué, c'est un enfant très épanoui.

Et il n'a pas besoin que tu fasses irruption dans sa vie.

— Maman et moi, on construit des châteaux de sable, s'exclama le petit garçon.

— Si tu aimes la plage, tu vas aimer les îles grecques.

— On peut aller sur n'importe quelle plage ?

— Bien sûr. Il y en a une juste en bas de chez moi à Santorin. Tu pourras y faire tous les châteaux que tu veux.

— Tu m'aideras ?

— Je ne crois pas qu'Ari aura le temps, intervint Tina. C'est un homme très occupé.

— Mais non, pas du tout. Je serai ravi de faire découvrir

à Théo les charmes de mon île pour son anniversaire. Je l'emmènerai sur le téléphérique, faire des randonnées à dos d'âne...

— Un âne ! s'écria Théo avec excitation.

— ... une excursion en bateau dans les îlots volcaniques...

— Un bateau !

Les yeux de son fils étaient désormais ronds comme des soucoupes... Tina sentit son cœur se serrer.

— ... puis nous construirons des châteaux géants sur la plage.

— On peut, maman ? Dis, on peut ?

— On peut quoi, Théo ? fit sa grand-mère, attirée par la voix aiguë de son petit-fils.

— Faire du bateau et monter sur un âne, Yiayia. Pour mon anniversaire !

— Je viens de lui proposer, expliqua Ari avec un sourire affable. Je voudrais lui offrir un anniversaire dont il se souviendra toute sa vie.

Ainsi, le piège venait de se refermer. Cette fois, impossible d'y échapper ! Elle n'avait plus d'autre choix que de se laisser porter, elle le savait. Si elle protestait, elle devrait fournir des explications et c'était bien la dernière chose qu'elle souhaitait. Elle devait absolument repousser au maximum le moment où la vérité éclaterait au grand jour, ne serait-ce que pour ne pas gâcher le mariage de sa sœur. Cass ne méritait pas cela.

La famille entière était à présent tournée vers eux. Furieuse, elle se força à sourire.

— C'est très gentil, Ari.

— Cassandra m'a dit que vous serez à l'hôtel El Greco. Je vous contacterai.

— Merci.

La conversation reprit autour de la table. Théo assaillit Ari de questions sur Santorin, auxquelles il répondit de bonne grâce. Le regard posé sur son fils, Tina maudit intérieurement son ancien amant. Comment osait-il ? Mais comment oublier que, s'il y avait quelqu'un à blâmer, c'était bien elle ? Que lui avait-il pris de tout révéler à Dubai ? Oui, elle était seule responsable de cette situation de crise. Il ne restait plus désormais qu'à limiter les dégâts.

Un mouvement dans l'assistance la tira de ses pensées. Cassandra et George, fatigués par le voyage, prenaient congé et, à son grand soulagement, elle vit qu'Ari se levait pour partir avec eux. Lorsqu'il lui tendit la main, elle la serra avec son sourire le plus aimable, mais elle se raidit en l'entendant déclarer :

— J'ai hâte de faire découvrir Santorin à Théo. Merci de m'accorder ta confiance.

— Oh ! mais tu as toute ma confiance, répondit-elle de sa voix la plus froide. Je suis sûre que l'on peut compter sur toi.

Puis elle ajouta sans desserrer les dents, de manière à ce qu'il fût le seul à l'entendre :

— Sauf sur le long terme, bien sûr…

— Nous verrons, souffla Ari avec un sourire arrogant.

Les derniers adieux échangés, il disparut enfin. Elle aurait dû se sentir soulagée, mais le regard brillant d'excitation de Théo lui disait que ses ennuis ne faisaient que commencer.

4.

Assis sous une pergola couverte de vigne dominant la mer Egée, Maximus Zavros sirotait son café serré du matin. Il prenait son petit déjeuner au même endroit tous les jours. Le paysage l'apaisait, la vue lui faisait oublier les tourments du quotidien. Aujourd'hui, cependant, le déplaisir que lui causait son fils l'empêchait de se détendre. Il ne se priva pas de le lui faire savoir sitôt qu'Ari émergea sur la terrasse.

— Tu oses te présenter devant moi sans la moindre perspective de mariage ?

Maximus replia son journal, puis l'abattit sèchement sur la table.

— Ton cousin George a deux ans de moins que toi. Il n'est pas aussi séduisant. Il n'est pas aussi riche. Pourtant, lui, il s'est trouvé une femme, et une femme superbe. Quel est ton problème, au juste ?

— Peut-être que j'ai raté le train que je devais prendre, maugréa Ari, tirant une chaise pour s'installer face à son père.

— Qu'est-ce que ça veut dire ?

Ari se servit un verre de jus d'orange avant de répondre. Une longue discussion s'annonçait et il avait déjà la gorge sèche.

— Ça veut dire que j'ai déjà rencontré ma future femme, mais je l'ai laissée partir il y a six ans. A présent, je dois la reconquérir, chose qui s'annonce d'autant plus difficile qu'elle me déteste.

— Elle te déteste ? Pour quelle raison ? Et pourquoi devrais-tu l'épouser ? Tu veux vraiment te mettre une marâtre sur le dos ? Je pensais que tu avais un peu plus de bon sens.

— Christina était enceinte quand je suis parti. Evidemment, je l'ignorais. Elle a donné naissance à un fils il y a cinq ans. Mon fils.

Son père fronça ses sourcils broussailleux et l'examina pendant une longue minute en silence, ruminant l'information.

— Tu es sûr qu'il est de toi ?

— Evidemment. Non seulement il me ressemble de manière frappante, mais les dates concordent.

— Qui est cette Christina ? Est-il possible qu'elle ait été avec un autre homme en même temps que toi ?

— Non, répondit Ari sans hésiter. Elle était vierge quand nous nous sommes rencontrés en Australie et nous étions très épris. Elle était à l'aube d'une carrière de mannequin prometteuse. J'étais jeune et stupide, je n'avais pas de projet de mariage et je pensais qu'elle non plus.

— Par quel miracle vos chemins se sont-ils croisés de nouveau ? L'Australie, ce n'est pas exactement la porte à côté.

— Christina est la sœur de Cassandra, la future femme de George. Elle sera son témoin et Théo, son fils — notre fils —, leur page.

— Est-ce que la famille est au courant de cette affaire ?

— Absolument pas. Tout le monde pense que nous venons tout juste de faire connaissance.

— Et qu'attend-elle de toi, cette Christina ?

— Rien, justement. Elle ne veut pas de moi dans sa vie ou dans celle de Théo.

— Je vois. Il est donc important de la faire changer d'avis.

Ari laissa échapper un soupir de soulagement. C'était une bonne chose que son père soit arrivé à la même conclusion que lui. Il constituerait un allié de poids dans les jours à venir.

— Je m'y attaque dès demain, confia-t-il. C'est l'anniversaire de Théo, il va avoir cinq ans. J'ai réussi à forcer la main à Christina. Nous allons passer la journée ensemble.

— Comment as-tu fait ?

— Christina ne veut pas révéler la vérité avant le mariage de sa sœur. Elle a peur de gâcher la fête. Disons que je me sers de cette petite faiblesse comme d'un levier.

— Elle pense à sa famille… Ça me plaît. Elle fera une bonne épouse ?

— Au moins, elle aime les enfants, ce qui n'était pas le cas de Felicity Fullbright. Et elle m'attire toujours autant. Le reste ne dépend pas de moi.

— Quand doivent-ils arriver à Santorin ?

— Aujourd'hui même.

— Où sont-ils logés ?

— Au El Greco.

— Je vais appeler le directeur de l'hôtel. Leur séjour sera à mes frais. Fruits frais et fleurs dans les chambres, ainsi qu'une sélection des meilleurs vins de Santorin, avec les compliments de la famille Zavros. Notre fortune a tendance à impressionner les gens et à les mettre dans de bonnes dispositions envers nous.

Ari doutait fort que la générosité intéressée de son père ait la moindre influence sur Christina, mais il garda son opinion pour lui.

— Ça pourrait faire effet sur sa mère, réfléchit-il à voix haute. Elle s'appelle Helen, elle est veuve. Si maman et toi lui accordiez un peu d'attention au mariage, ça ne pourrait que jouer en notre faveur.

— Bien sûr. C'est la moindre des choses.

— La mère de Christina est grecque, son père l'était

également. Leurs deux filles sont nées en Australie, mais Helen Savalas est de la vieille école. Je doute qu'un mariage arrangé entre deux familles du pays la choque. Si nous pouvions lui faire comprendre qu'il est dans l'intérêt de Théo et de Christina d'accepter mon aide…

— Compte sur moi. Je m'occupe de gagner la mère à notre cause, tu te charges de la fille. Il est inadmissible qu'un enfant grandisse sans son père.

Ari acquiesça. C'était le nœud du problème.

Un problème que rien au monde ne l'empêcherait de résoudre, il en faisait le serment.

Pendant les dix heures de la traversée entre Athènes et Santorin, Théo, fasciné par le sillage du navire, resta sur le pont arrière du ferry. Tina passa son temps à le surveiller, laissant son regard errer sur le paysage qui les entourait. Comme les îles qu'ils dépassaient étaient austères ! Quelle différence avec les îles tropicales de l'Australie !

Cependant, quand leur navire entra enfin dans le port de Santorin, elle céda à l'émerveillement. Comment ne pas être impressionnée par le charme minéral de l'ancien volcan, par les falaises abruptes du cratère qui plongeaient dans une mer bleu saphir ? A leur sommet, une ville blanche brillait sous le soleil de l'après-midi.

Elle s'assombrit de nouveau en se rappelant qu'Ari Zavros vivait sur cette île. Comment en apprécier les charmes avec une telle épée de Damoclès au-dessus de la tête ? Surtout, pourquoi Ari ne reconnaissait-il pas qu'il n'avait pas sa place dans la vie de Théo ?

Chassant ses sombres pensées, elle se dirigea vers le chauffeur qui les attendait à l'arrivée du ferry pour les conduire à l'hôtel. Théo passa le trajet le nez collé à la vitre du minibus, à regarder le port qui rétrécissait à une vitesse vertigineuse. La route zigzaguait à même la falaise et la vue était à couper le souffle. L'espace de quelques instants, elle oublia ses préoccupations pour admirer le paysage.

L'hôtel El Greco était situé de l'autre côté de l'île. Nichés sur des terrasses face à la mer, ses bâtiments blancs déployaient leurs arcades autour de terrasses et de piscines privées. Çà et là, des bosquets d'hibiscus et des bougainvillées faisaient des taches de couleur, comme si un peintre avait secoué son pinceau sur ce tableau de rêve.

La réception, spacieuse, baignait dans une fraîcheur bienvenue. Oui, c'était un endroit idyllique. Du moins pour qui n'avait pas eu le malheur de croiser Ari Zavros et de lui donner un enfant…

— Ah, mademoiselle Savalas, s'exclama le réceptionniste sitôt qu'elle tendit son passeport. Excusez-moi, je vais informer le directeur de votre arrivée.

Il disparut par une porte voûtée dont il émergea un court instant plus tard, suivi d'un homme rondouillard et souriant.

— Il y a un problème avec nos réservations ? demanda anxieusement la mère de Tina.

— Pas le moins du monde, madame Savalas, la rassura le nouveau venu. Nous vous avons installé dans nos meilleures chambres. Si vous avez besoin de quoi que ce soit, faites-le nous savoir.

— C'est très aimable.

— Nous avons reçu des instructions de M. Zavros. J'ai cru comprendre que vous étiez là pour le mariage ?

— Eh bien, oui, murmura Helen Savalas en jetant un regard intrigué à Tina. C'est très gentil de la part d'Ari, mais…

— Non, non, c'est Maximus Zavros en personne qui a donné les ordres. La famille passe avant tout ici, et vous ne serez pas facturés pour votre séjour. Considérez-vous comme nos invités. Vous pouvez donc ranger votre carte de crédit.

Helen secoua la tête avec incrédulité.

— Mais nous n'avons même pas rencontré ce Maximus Zavros…

L'objection ne parut pas décontenancer le directeur de l'hôtel.

— Nul doute que vous ferez sa connaissance au mariage.

— Je ne suis pas sûre de pouvoir accepter ce… cet arrangement.

Cette fois, le sourire de leur interlocuteur s'effaça.

— Oh ! mais il le faut ! M. Zavros est un homme très puissant et très respecté. Il serait offensé si vous refusiez son hospitalité. Je serais tenu pour responsable. Je vous en prie, madame Savalas…

L'anxiété visible du directeur eut raison des réticences de Helen Savalas.

— Très bien, très bien… Je suppose que nous pourrons en discuter avec Ari demain.

L'estomac noué, Tina acquiesça. Elle doutait qu'il s'agisse d'une simple démonstration du sens de l'hospitalité de leurs hôtes. « La famille avant tout », avait dit le directeur de l'hôtel. Ce genre de langage ne laissait pas de doute : Ari avait parlé à son père. La générosité de Maximus Zavros, elle en aurait juré, faisait partie d'une stratégie destinée à les impressionner.

— Laissez-moi vous conduire à vos suites. Je tiens à m'assurer personnellement que tout est à votre convenance. Notre bagagiste se chargera de vos valises.

En découvrant les chambres incroyablement luxueuses, ouvrant chacune sur une terrasse privée, les corbeilles de fruits frais, les fleurs et les bouteilles de vin disposées sur plusieurs tables, Tina sentit la colère l'envahir. Comment osait-il les manipuler si ouvertement ? Sa mère et Théo, en revanche, paraissaient impressionnés. Le plan d'Ari et de son père fonctionnait à merveille…

Réprimant son agacement, elle emmena Théo se changer avant de l'accompagner à la piscine de l'hôtel.

Assise au bord du petit bassin, les jambes dans l'eau, elle observa son fils s'ébattre dans l'eau avec des cris de joie. Le bonheur de son fils lui arracha un sourire, mais une appréhension croissante l'empêchait de se détendre.

Les Zavros allaient-ils faire valoir leurs droits sur son fils ? Si c'était le cas, que pourrait-elle faire pour s'y opposer ? C'était David contre Goliath. Les hommes tels qu'Ari et son père ne s'embarrassaient pas de scrupules lorsqu'ils désiraient quelque chose. Ils le prenaient. Ils en avaient la possibilité et en profitaient. L'argent permettait de tout acheter, les meilleures chambres du meilleur hôtel de Santorin, ou un enfant…

Malgré elle, elle sentit les larmes lui brûler les yeux. Oui, elle avait peur de l'avenir, de la semaine qui s'annonçait. Passer cinq jours derrière les lignes ennemies, sur le territoire des Zavros, rencontrer toute la famille d'Ari… Aurait-elle la force de surmonter cette épreuve ? Il était évident à présent que même si elle n'avait rien dit, à Dubai, la crise aurait éclaté de toute façon. Théo ressemblait trop à son père pour qu'elle puisse garder longtemps le secret. En réalité, le compte à rebours avait commencé dès l'instant où Cassandra avait rencontré George…

Que faire ? Devait-elle tout avouer à sa mère ?

Les retombées d'une telle confession étaient si nombreuses… Non, mieux valait garder le silence le plus longtemps possible. La journée du lendemain avec Ari lui donnerait peut-être une idée plus claire de ses motivations et des moyens qu'il comptait employer.

Les cinq ans de Théo… Son premier anniversaire avec son père.

Elle savait d'ores et déjà que chaque minute allait être une véritable torture.

5.

Tina était sur le point d'accompagner sa mère et son fils au restaurant lorsque le téléphone sonna dans sa chambre. C'était Ari. D'un geste, elle fit signe à sa mère d'emmener Théo. Après les événements des derniers jours il y avait beaucoup de choses dont elle voulait discuter avec lui. Sitôt sa famille hors de portée d'oreille, elle passa à l'attaque.

— Tu as parlé de Théo à ton père, n'est-ce pas ?

— Bien entendu, reconnut-il sans la moindre hésitation. Il avait le droit de savoir. Un droit que tu m'as refusé pendant cinq ans.

— Tu m'avais clairement fait comprendre que tu en avais fini avec moi.

— Ce n'est pas une excuse. Tu aurais pu me retrouver facilement, par internet par exemple.

— J'imagine ta tête si l'une de tes anciennes maîtresses resurgissait dans ta vie par e-mail interposé ! Et puis, si je t'avais dit que j'étais enceinte, tu m'aurais crue ?

L'hésitation que marqua Ari était révélatrice. Elle lui transperça le cœur, mais la conforta dans le choix qu'elle avait fait des années plus tôt.

— Je pensais avoir pris mes précautions, finit-il par répondre au bout du fil. Quoi qu'il en soit, le résultat est là, et je ne doute pas un seul instant que Théo soit mon fils. A ton tour, crois-moi quand je te dis que j'ai bien l'intention d'assumer mon rôle.

Comme assommée, elle se laissa tomber sur le rebord du lit. Le conflit semblait inévitable, mais elle devait à tout prix gagner un peu de temps. Au moins jusqu'à après le mariage.

— A Athènes, tu as dit que nous pourrions faire ça en douceur, murmura-t-elle.

— C'est exact. Tu as quelque chose à suggérer ?

— Tu as détruit ma vie une première fois et je suppose que rien ne t'empêchera de le faire de nouveau. Mais je t'en prie… ne gâche pas le mariage de ma sœur. Ce serait égoïste et minable, deux traits caractéristiques de ton comportement, certes, mais… En échange, je ne m'interposerai pas entre Théo et toi. Je vous aiderai à faire connaissance dans les jours qui viennent.

Un long silence accueillit son offre. La mâchoire serrée, elle ajouta :

— Si tu refuses, je me battrai pied à pied, Crois-moi, la détresse d'une mère a beaucoup de poids devant un juge.

— Que t'ai-je fait, exactement, qui t'autorise à me qualifier « d'égoïste et minable » ? finit-il par demander, comme si c'était la seule chose qu'il ait retenue de sa tirade.

— Tu m'as laissée croire à un avenir qui n'existait pas. Si tu t'avisais de faire la même chose à Théo…

— Assez ! J'accepte ton offre. Je te retrouverai à l'hôtel dans une heure et nous passerons la journée ensemble, dans une atmosphère harmonieuse, pour notre fils.

Sans lui laisser l'occasion de répondre, il raccrocha. Lorsqu'elle reposa à son tour le combiné, elle s'aperçut que sa main tremblait. Rien ne viendrait gâcher le mariage de Cass, c'était déjà ça, tenta-t-elle de se rassurer. Quant au reste… La seule chose qu'elle pouvait faire, désormais, c'était d'affronter les problèmes au jour le jour.

Bouillant de colère, Ari arpentait le patio de la maison familiale. Cela faisait presque une heure qu'il avait raccroché mais les accusations de Christina le hantaient encore. Ce n'était pas la première fois qu'une femme le vouait aux gémonies mais jamais aucune ne l'avait affecté à ce point. C'était sans doute à cause de Théo, raisonna-t-il. L'existence de son fils le rendait plus sensible, voilà tout.

Il n'en restait pas moins que l'hostilité de Tina à son égard était injustifiée. Il avait employé les grands moyens pour la séduire, l'avait comblée de cadeaux, lui avait murmuré tous les mots doux que les femmes aimaient à entendre.

Etait-ce sa faute si elle était tombée enceinte malgré toutes ses précautions ? Il n'avait jamais eu l'intention de lui faire le moindre mal. D'ailleurs, il aurait assumé ses responsabilités si elle avait daigné lui faire part de la naissance de Théo. Son fils aurait pu grandir dans le luxe, au lieu d'être élevé sur une plage par une mère célibataire.

Si les choses s'étaient passées autrement, c'était la faute de Christina, pas la sienne. Et s'entendre qualifier « d'égoïste » et de « minable » était bien le comble de l'injustice.

Pourtant, il n'arrivait pas à oublier une des phrases qu'elle avait prononcées. « Tu m'as laissée croire à un avenir qui n'existait pas. »

De quel avenir parlait-elle ? Soudain, la réponse lui apparut, lumineuse. Jeune et naïve, Tina avait-elle cru à une histoire durable ? Cela expliquerait qu'elle ait si mal pris leur rupture. Oui, elle avait sans doute été blessée au point de préférer lui cacher sa grossesse plutôt que de le voir revenir dans sa vie.

Et elle avait peur, à présent, qu'il fasse de même à Théo : qu'il lui donne l'impression de l'aimer avant de l'abandonner. Vu sous cet angle, il pouvait presque la comprendre.

Il devait donc changer l'image qu'elle avait de lui. Lui

faire comprendre qu'il n'abandonnerait jamais leur enfant. Mais il voulait plus ! Tina devait accepter de devenir sa femme ! Comment la convaincre ? Il était évident que son charme n'y suffirait pas…

Elle lui avait proposé un marché. Pourquoi ne pas faire de même ?

Après tout, il lui suffisait d'offrir des conditions qu'elle ne pouvait pas refuser.

— Il ressemble à un dieu grec, remarqua Helen Savalas en regardant Ari traverser la terrasse en direction de leur table.

Aussitôt, Tina sentit son estomac se contracter. Elle avait pensé la même chose autrefois. Avec ses cheveux dorés par le soleil, sa peau bronzée et ses yeux de feu, Ari semblait tout droit sorti de l'*Odyssée*.

Les années ne l'avaient pas changé. Vêtu d'un pantalon de lin blanc et d'une chemise remontée sur ses bras puissants, il était d'une beauté à couper le souffle. Athlétique, charismatique, il exsudait un charme incroyable. Rien d'étonnant à ce qu'il fasse tourner les têtes de toutes les femmes qu'il croisait…

Mais il n'avait plus ce pouvoir sur elle ! Non, elle savait désormais qu'un cœur de pierre se cachait derrière cette façade. Et elle n'allait certainement pas succomber de nouveau.

— Il nous apporte un cadeau de l'Olympe, ironisa-t-elle en avisant le paquet qu'il tenait sous le bras.

— C'est pour moi ? s'écria Théo avec excitation.

— Bien sûr que c'est pour toi, répondit Ari en souriant. Joyeux anniversaire.

— Je peux l'ouvrir ?

— Remercie d'abord Ari.

— Merci beaucoup.

Avec un pincement au cœur, elle observa son fils déballer avec avidité le paquet qui contenait une gare en Lego.

— Il adore les Lego, remarqua Helen avec un regard approbateur. Excellent choix.

— Je pensais bien que ça lui plairait. Mes neveux en ont plein leur chambre.

— En parlant de famille, reprit Helen, votre père a apparemment insisté pour payer notre séjour mais…

— Ça lui fait plaisir, madame Savalas, coupa Ari d'un ton qui réussissait à être ferme et aimable à la fois. Si le mariage s'était déroulé sur Patmos, la famille de George aurait fait de même. A Santorin, mon père se considère comme votre hôte. A ce sujet, il aimerait tous vous avoir à dîner ce soir. Ça vous permettra de faire connaissance avant le mariage.

— C'est très aimable. Nous acceptons avec plaisir.

Tina fixa Ari avec perplexité. Avait-il menti en promettant de garder le secret ? Le but de ce dîner n'était-il pas de révéler la vérité au moment où elle s'y attendrait le moins ? Elle n'était pas naïve au point de lui faire confiance.

— J'ai expliqué à ma mère que c'était ton anniversaire, Théo, reprit-il au même instant. Elle va préparer un gâteau spécialement pour toi, avec cinq bougies que tu pourras souffler en faisant un vœu. Tu as toute la journée pour réfléchir à ce que tu désires le plus au monde.

Et il avait toute la journée pour séduire Théo, s'immiscer dans son cœur et sa vie… Tina sentit l'inquiétude grandir en elle. Elle était bien placée pour savoir à quel point Ari pouvait être séduisant. Le problème, c'était le long terme, la constance dont il ferait preuve dans son rôle de père.

— Vous nous accompagnez, madame Savalas ? proposa-t-il au même instant. Nous allons visiter Santorin.

— Oh non, non, ce n'est plus de mon âge. J'irai me promener en ville plus tard, je ferai un peu de shopping et je rentrerai. Mieux vaut que je laisse les jeunes avec les jeunes.

Tina se retint de justesse de lever les yeux au ciel. A l'évidence, sa mère se faisait déjà des idées. L'équation « dieu grec » plus « fille célibataire » plus « île au soleil » lui donnait des idées.

Elle réprima un soupir de dépit. Puisqu'elle avait accepté de passer la journée avec Ari, autant faire contre mauvaise fortune bon cœur. Mais s'il la trahissait au dîner, s'il révélait que Théo était son fils, elle le lui ferait payer très cher.

Après être repassés par leur chambre pour déposer les Lego de Théo et se rafraîchir, ils retrouvèrent Ari devant l'entrée de l'hôtel. De là, ils prirent la direction du village de Fiera, à cinq minutes de marche.

D'un geste, Tina poussa Théo entre Ari et elle. Il était hors de question de risquer d'avoir le moindre contact physique avec son ancien amant. Malgré elle, elle sentit l'émotion l'envahir devant le bonheur de son fils qui gambadait en leur tenant la main, un grand sourire aux lèvres, captivé par tout ce qui l'entourait. Mais elle ne devait pas céder à cette illusion car ce bonheur ne pouvait être que de courte durée. Ari serait incapable de tenir ce rôle de père sur le long terme, elle le savait.

— Tu as parlé de notre marché à tes parents ? demanda-t-elle par-dessus la tête du petit garçon.

— Je leur en parlerai le moment venu.

Un soupir de frustration et d'impuissance lui échappa. Elle n'avait d'autre choix que de le croire. Tiendrait-il sa parole ? Elle l'espérait. Car cette fois, l'enjeu les dépassait. Il en allait de l'avenir de leur fils.

Perdue dans ses pensées, elle laissa son regard errer sur le paysage qui l'entourait. La vue depuis la route qui plongeait vers la ville était merveilleuse. Deux paquebots flottaient au milieu de l'anse délimitée par l'ancien cratère.

Leur coque blanche offrait un contraste saisissant avec le bleu des flots.

— On va prendre un de ces bateaux ? demanda Théo avec enthousiasme.

— Non. Ils sont bien trop gros pour s'approcher de la côte. Ils doivent débarquer leurs passagers à l'aide de navires plus petit. Celui que nous allons prendre nous permettra d'aller où nous voudrons. Tu pourras même le conduire si tu veux.

— C'est vrai ? Moi ?

— Oui, toi. Tu pourras t'asseoir sur mes genoux et être le capitaine.

— Tu entends, maman ? Je vais être le capitaine du bateau.

— Ton bateau, Ari ? demanda-t-elle.

Qu'allait-il encore sortir de son chapeau pour impressionner leur fils ?

— Celui de la famille. Il nous attend au port.

Sa richissime famille, bien sûr. Comment pourrait-elle empêcher Théo de se laisser séduire ? Elle-même était tombée dans le piège, et à l'âge adulte ! Un gamin de cinq ans n'avait aucune chance…

Le combat qu'elle menait était perdu d'avance. Même en cet instant, avec le bénéfice de l'expérience, Ari l'attirait toujours. Alors, comment s'étonner qu'après lui aucun homme n'ait plus trouvé grâce à ses yeux ? Il était la séduction incarnée. Lui, en revanche, ne devait pas s'être privé d'enchaîner les conquêtes. Comme la blonde de Dubai, par exemple…

Quelle humiliation ! Dire qu'elle l'avait considéré comme l'homme de sa vie alors qu'elle n'avait été qu'un « charmant épisode » à ses yeux. Même aujourd'hui, il ne s'intéressait à elle qu'à cause de leur enfant.

Ils avaient maintenant rejoint le centre du village et ils s'engagèrent sur une petite route qui menait à une ravissante église blanche perchée au sommet d'une colline. En chemin, une statue d'âne peinte en rose signalait l'emplacement d'un magasin de souvenirs et de cartes postales.

— Je ne suis pas monté sur le chameau, je peux aller sur l'âne ? demanda Théo en la tirant par la manche.

— Tu pourras bientôt monter sur un vrai âne, tu ne crois pas que ce sera mieux ?

— Il ne sera pas rose. Et je voudrais une photo de moi sur celui-là.

— C'est ton anniversaire, intervint Ari en le soulevant dans ses bras pour l'installer. Nous ne pouvons rien te refuser.

Lorsqu'ils se retournèrent tous deux vers elle avec un sourire radieux, elle eut l'impression de recevoir un coup au cœur. Ils se ressemblaient tant… D'une main tremblante, elle leva son appareil pour prendre la photo demandée.

— A moi de vous prendre tous les deux, déclara Ari. Viens te mettre à côté de Théo et passe-moi ton appareil.

— Oh oui, viens, maman !

A contrecœur, elle obéit et se dirigea vers son fils.

— Attention, souriez !

Avec un sourire mécanique, elle fixa l'objectif, pressée d'en finir. Mais sitôt la photo prise, Ari sortit son téléphone portable pour en prendre une deuxième. Un cliché pour ses parents, sans doute. Elle en imaginait déjà la légende : *Voilà votre petit-fils et voilà sa mère*.

— Tu as un très beau sourire, Christina, fit observer son compagnon lorsqu'il les rejoignit.

— Arrête, marmonna-t-elle entre ses dents.

— Arrête quoi ?

Théo, captivé par un panier de peluches devant le magasin, ne leur prêtait pas la moindre attention. Elle en profita pour exprimer les sentiments qu'elle avait passé la matinée à réprimer.

— Je n'ai pas besoin de tes compliments.

— Je ne faisais que constater un fait. Qu'y a-t-il de mal à cela ?

— Il y a que ça me rappelle à quel point je me suis montrée stupide.

— Je suis désolé que tu aies mal interprété mes propos, autrefois. Si je t'ai laissé croire que…

— Mal interprété tes propos ? répéta-t-elle avec un éclat de rire incrédule. Quand tu me disais que j'étais unique, que voulais-tu dire exactement ? Eclaire-moi, si tu veux bien.

— Tu étais unique. Et tu l'es toujours, répondit-il en posant sur elle un regard qui la fit frissonner. Je n'étais simplement pas prêt, à l'époque, pour une relation de longue durée. Mais je le suis aujourd'hui. Je veux t'épouser, Christina.

Interdite, elle le fixa, le cœur prêt à s'arrêter. Que voulait-il dire ? Aucun des scénarios qu'elle avait essayé d'anticiper ne contenait le mot « mariage ».

Puis sa raison se remit en marche. Bien sûr, Ari voulait Théo. Et la meilleure façon d'y accéder, c'était effectivement de l'épouser, elle, Tina. Un tel cynisme lui coupait le souffle, mais elle devait lui reconnaître une certaine logique. Cet homme était un stratège né.

— N'y compte même pas. Je ne t'épouserais pas si tu étais le dernier homme sur Terre.

— Je suis sûr que je peux te faire changer d'avis.

— Comment ça ?

— Réfléchis : je t'offre une vie confortable, sans conflit au sujet de Théo. Nous l'éduquerons ensemble.

— Tu me prends pour une idiote ? Tu crois que je vais gober tes belles promesses ?

— Je suis prêt à te donner des garanties. Nous signerons un contrat de mariage stipulant le versement d'une rente jusqu'à la fin de tes jours. Tu ne manqueras plus jamais de rien. Considère ça comme un dédommagement pour la souffrance que je t'ai infligée.

— Je suis parfaitement capable de subvenir à nos besoins. L'argent n'est pas tout. Et puis je n'ai aucune envie de devenir ta femme. Ce serait donner le bâton pour me faire battre.

— Je me souviens du plaisir que nous éprouvions dans les bras l'un de l'autre. Tu n'as pas envie de recommencer ?

Au souvenir de l'adoration aveugle qu'elle lui avait porté, elle se sentit rougir, honteuse.

— Je ne suis pas naïve, Ari. Ce mariage n'est qu'une pirouette juridique à tes yeux. Il t'offre un accès total à ton fils et c'est tout ce qui t'intéresse. Tu ne pourras jamais être fidèle. Ce n'est pas dans ta nature.

— Détrompe-toi. Si tu acceptes de m'épouser, je te serai fidèle.

— Tu voudrais que j'avale une chose pareille ?

— Ce soir, tu vas rencontrer mes parents. Leur mariage a été arrangé mais ils l'ont fait marcher. Ils sont dévoués l'un à l'autre et je ne vois pas ce qui nous empêche de les imiter. Il suffit d'un peu de bonne volonté, Christina.

— A ceci près que je ne te fais pas confiance. Toute la bonne volonté du monde ne changera rien à ton amour immodéré pour les femmes.

— Dans ce cas, ajoutons une clause au contrat de mariage. Si je te trompais, tu pourrais demander le divorce instantanément, sans aucun préjudice pour toi. Tu obtiendrais la garde exclusive de Théo et bénéficierais d'une compensation financière qui te mettrait à l'abri du besoin jusqu'à la fin de tes jours.

Sous le choc, elle le fixa longuement, complètement prise de court par cette proposition.

— Tu… tu serais prêt à signer un tel document ?

— Oui. C'est le marché que je te propose.

Théo se rapprocha à cet instant d'eux, et Ari lui jeta un dernier coup d'œil brûlant avant de souffler :

— Réfléchis bien.

6.

Ari s'en voulait déjà. Christina l'avait poussé trop loin. Il aurait dû s'en tenir à l'offre financière qu'il avait élaborée, pas lui proposer d'obtenir la garde de leur fils s'il la trompait. Mais il était trop tard pour faire machine arrière.

En affaires, malgré l'excitation de la compétition, il savait toujours s'arrêter lorsque le prix à payer devenait inacceptable. Que lui arrivait-il ? C'était à croire qu'il avait été hypnotisé par Christina, par l'énergie belliqueuse qu'elle dégageait.

Certes, les enjeux étaient importants : il voulait un accès total et inconditionnel à son fils. Rendre visite à Théo à l'autre bout du monde selon un calendrier décidé par un juge, très peu pour lui. Mais il devait bien avouer qu'il y avait autre chose. Oui, il était aussi animé d'un étrange désir de regagner l'estime de Christina.

Le souvenir de leurs nuits endiablées, du bourgeon qu'elle était à l'époque et qui, entre ses mains, s'était ouvert pour se transformer en une fleur magnifique, n'était que trop présent dans sa mémoire. Elle était plus sûre d'elle à présent, plus forte encore. L'idée de la reconquérir était des plus excitantes. Si seulement il pouvait se servir de l'énergie qu'elle irradiait, transformer ce flux négatif en désir…

Oui, il voulait la voir sourire de nouveau, lire la même passion qu'autrefois dans son regard. Mais pour y parvenir, il savait qu'il devait jouer finement. L'échec n'était pas permis, pas après le marché qu'il venait de lui proposer.

Tandis qu'ils montaient vers le sommet de la colline, il observa Christina à la dérobée. Les cheveux courts lui allaient à merveille, soulignant la ligne gracile de son cou et faisant ressortir ses pommettes. Ses lèvres étaient pleines, comme plissées par une moue permanente. Il n'avait jamais oublié ce détail qui, lors de leur première rencontre, l'avait tant séduit.

Elle n'était pas aussi grande que sa sœur, ni aussi mince. Ce n'était plus non plus la jeune fille qu'il avait connue six ans plus tôt. La maternité lui avait légèrement arrondi les hanches et galbé les seins sans pour autant épaissir ses jambes interminables. Quant à son haut en coton jaune citron, faussement décontracté, il provenait à l'évidence d'une marque de luxe, sans doute un cadeau de Cassandra. Un pantalon blanc et des sandales ornées de bijoux fantaisie complétaient sa tenue. Oui, elle ferait décidément une femme parfaite.

Il n'avait plus qu'à la convaincre qu'il était le mari idéal.

Se marier ? Même dans ses hypothèses les plus folles, Tina n'aurait jamais osé croire à une telle proposition de la part d'Ari. Evidemment, son offre n'avait rien de romantique. C'était un calcul destiné à lui assurer un accès inconditionnel à son fils. Mais elle n'aurait jamais imaginé qu'il serait prêt à aller aussi loin.

Comment pourrait-elle croire à sa promesse d'être fidèle ? Cet homme était un fantasme sexuel ambulant. Même en pleine rue, impossible d'ignorer que toutes les femmes qu'ils croisaient lui décochaient des regards appuyés. Lorsqu'elle s'était arrêtée pour acheter une jolie écharpe dans un magasin, la vendeuse n'avait eu d'yeux que pour lui.

Accepter son offre serait suicidaire. Il la ferait souffrir de nouveau, c'était sûr. Mais elle avait tout intérêt à faire semblant de réfléchir à son marché, ne fût-ce que pour gagner du temps et s'assurer qu'il ne gâcherait pas le mariage de Cass.

Une fois la fête terminée, la vérité pourrait alors éclater au grand jour. Puisque Ari semblait vraiment décidé à tenir son rôle de père, elle ne voyait vraiment pas comment l'en empêcher. Mais ce serait à lui de venir en Australie. Théo n'était pas grec, elle ne laisserait pas Ari le déraciner.

Le cri d'émerveillement de Théo la tira de ses pensées. Ils venaient d'atteindre la partie haute de la ville et elle dut s'avouer que la vue était splendide. Un téléphérique descendait au port. On pouvait aussi s'y rendre à dos d'âne par une route en zigzag à flanc de colline. Elle aurait préféré prendre le téléphérique, mais Théo mourait d'envie de monter sur un âne. Mieux valait choisir ses batailles ! Elle laissa donc sans protester Ari choisir trois montures.

Cependant, lorsqu'il voulut l'aider à prendre place, elle refusa ostensiblement sa main. Empoignant la crinière de l'âne, elle se hissa toute seule sur le dos de l'animal. Rien n'aurait pu la convaincre de risquer le moindre contact avec son ancien amant. Il se contenta de lui sourire avant de monter en selle d'un bond souple.

— Je passe devant avec Théo, annonça-t-il. Si tu restes juste derrière lui, je pourrai contrôler vos deux ânes.

— Les contrôler ? Pourquoi ?

— Ils sont nourris à l'arrivée. Certains ont tendance à s'emballer un peu en approchant du port. Rien de bien méchant.

— Formidable…

— Ne t'inquiète pas, je prendrai soin de vous. Je te le promets, Christina.

Evidemment, il ne parlait pas seulement de la

randonnée… Haussant les épaules, elle fit mine d'ignorer le sous-entendu.

— Allons-y, alors.

Ils descendirent la colline à une allure placide. En approchant du port, ils furent dépassés par d'autres touristes quelque peu débordés par l'enthousiasme de leur monture. Les rênes de l'âne de Théo fermement en main, Ari lui adressa un clin d'œil. Les animaux devaient être eux aussi sensibles à son autorité naturelle car ils conservèrent leur pas tranquille jusqu'au moment de fourrer leur nez dans le sac d'avoine qui les attendait au port. L'avantage d'être un mâle alpha, sans doute…

En tout cas, elle n'était pas fâchée de mettre pied à terre. Elle était bien trop tendue pour apprécier la promenade et n'appréciait pas cette sensation d'être à la merci d'Ari. Une sensation qui ne fit que se renforcer lorsqu'elle vit son fils étreindre impulsivement Ari quand celui-ci le prit dans ses bras pour le faire descendre.

— Nous prendrons le téléphérique pour remonter, annonça Ari, conscient de son inconfort.

— Bonne idée, maugréa-t-elle. Où est ton bateau ?

— Celui qui approche en ce moment du quai.

— On dirait que tu as déjà un capitaine.

— Oh ! Jason sera ravi de passer la barre à Théo pendant qu'il préparera le déjeuner. C'est une journée légère pour lui. Quand nous n'utilisons pas le bateau, nous le louons à des groupes qui peuvent aller jusqu'à huit personnes. Aujourd'hui, Jason n'a que nous trois.

Le navire était aussi luxueux qu'elle se l'était imaginé. Un dais rayé bleu et blanc abritait une partie du pont arrière du soleil. Sans un mot, elle s'installa sur une banquette de toile blanche pendant qu'Ari emmenait Théo chercher des rafraîchissements dans la cambuse.

Elle tenta de profiter de ce court instant de solitude pour se détendre. Dîner chez les Zavros allait éprouver ses nerfs mais elle devait admettre qu'elle était curieuse de découvrir la famille d'Ari. Ce serait aussi l'occasion de vérifier que l'endroit était propice à accueillir Théo si, à l'avenir, il devait rendre visite à son père.

La voix de son fils la tira de ses pensées :

— Je n'ai pas droit de boire des sodas. Ce n'est pas bon pour moi. Je peux boire de l'eau, du lait ou du jus de fruits.

A ces mots, elle ne put retenir un sourire.

Bienvenue dans le monde des parents, Ari. Il ne s'agit pas que de jeu et de séduction. Il faut éduquer, façonner, responsabiliser. Seras-tu à la hauteur ou laisseras-tu ce rôle à une gouvernante ?

D'ailleurs, il ne faudrait pas qu'elle oublie de discuter avec lui de cette question avant de signer toute forme d'accord. Il était hors de question que son fils soit élevé par une inconnue !

— D'accord, reprit Ari. Que veux-tu boire, alors ?

— Du jus d'orange, répondit Théo.

— Et pour ta maman ?

— De l'eau. Elle en boit beaucoup.

— Pas de vin ?

— Non. Juste de l'eau ou du thé.

— Bon. Après notre marche, je suppose que de l'eau fraîche s'impose.

Ari reparut quelques instants plus tard avec une carafe de jus d'orange. Théo le suivait, portant avec d'infinies précautions trois verres en plastique emboîtés l'un dans l'autre. Il les sépara avec une concentration comique et les disposa sur la table. Ari y ajouta une sélection de fromages, d'olives et de biscuits apéritifs.

— Et voilà, servez-vous.

— J'adore les olives, s'exclama Théo.

— Ah, un vrai Grec, commenta fièrement Ari.

Elle sentit aussitôt son corps se raidir.

— Théo est australien.

— Mais Yiayia est grecque, maman !

Devant le sourire satisfait que lui adressa Ari, elle préféra ne pas protester. Après tout, autant conserver son énergie pour les batailles qui en valaient la peine. L'avenir lui en réserverait certainement plus d'une…

Pendant le trajet, elle écouta Ari décrire à Théo l'explosion du volcan qui avait formé Santorin. Théo écoutait bouche bée, captivé par le récit du cataclysme. Cet homme était un conteur-né. Son charme était tel qu'il aurait obtenu la même attention béate s'il avait récité l'annuaire, songea-t-elle avec un mélange de colère et d'admiration.

Bientôt, ils arrivèrent à l'île de Palea Kameni, dont les sources chaudes furent aussitôt un nouveau motif d'émerveillement pour Théo, excité à l'idée d'aller se baigner. Avec un soupir, Tina entreprit de se mettre en maillot de bain. Certes, elle aurait préféré ne pas devoir se déshabiller devant Ari, mais la perspective de laisser son fils seul avec lui l'enchantait encore moins.

Sa tension monta d'un cran encore lorsqu'elle le vit se déshabiller, ne gardant qu'un short de bain noir pour le moins moulant. Dieu ! Il était toujours aussi impressionnant. A la vue des muscles qui roulaient sous sa peau, elle sentit une chaleur se répandre au creux de son estomac. Le corps d'Ari tout entier paraissait avoir été ciselé par un sculpteur antique. Elle s'en rappelait chaque centimètre carré pour l'avoir exploré avec l'avidité d'une cartographe découvrant une terre inconnue.

Et dire que ce plaisir était à portée de main ! Elle n'avait qu'à accepter de l'épouser. A ceci près que, jamais plus, elle ne pourrait se donner à lui avec le même abandon qu'autrefois. Non, pas en sachant qu'elle n'était pas la femme de sa vie.

Lorsqu'ils revinrent sur le bateau, elle sentit un soulagement bienvenu la gagner. Il serait plus facile de lutter contre l'afflux de souvenirs une fois rhabillée. Ils jetèrent l'ancre en face du village d'Oia et se régalèrent d'un poisson grillé cuisiné par Jason durant le trajet. Epuisé par les activités de la matinée, Théo posa la tête sur les genoux de Tina dès le déjeuner terminé et ne tarda pas à s'endormir.

— Nous visiterons Oia à son réveil, chuchota Ari, le couvrant d'un regard brillant de fierté.

— Non, rentrons. Nous avons déjà fait tout ce que tu lui as promis. Il a besoin d'un peu de repos, maintenant. Il jouera avec ses Lego en attendant le dîner. Je crois que ça fera déjà beaucoup d'excitation pour une journée.

— Tu as raison. Tu as fait un travail admirable, Christina. Théo est un enfant merveilleux.

A quoi jouait-il ? Pensait-il vraiment qu'elle se laisserait séduire par ses compliments ? Troublée, elle détourna le regard en direction des falaises noires qui se dressaient derrière Ari.

— J'ai essayé de lui inculquer très tôt un sens des valeurs, déclara-t-elle.

Puis, presque sans réfléchir, elle ajouta :

— Je ne voulais pas qu'il devienne comme toi.

Un long silence accueillit sa pique. Inconsciemment, elle se raidit. Etait-elle allée trop loin cette fois ? Après quelques instants, Ari finit par demander d'une voix douce :

— A quels défauts en particulier fais-tu allusion ?

— Au fait que tu considères les femmes comme des distractions passagères, que tu les instrumentalises pour satisfaire tes sens. Je veux que Théo réfléchisse à son impact sur la vie des autres. Je veux qu'il ne laisse que de bons souvenirs aux personnes qu'il approche.

De nouveau, le silence retomba. Du coin de l'œil, elle vit Ari se pencher vers elle, les coudes appuyés sur ses cuisses.

— Si tu n'étais pas tombée enceinte, je ne t'aurais pas laissé un bon souvenir ?

— Tu m'as brisé le cœur, Ari. Mes parents m'ont élevée dans l'idée que le sexe était indissociable de l'amour. J'y ai cru jusqu'au moment où tu es parti sans un regard en arrière.

Exprimer ces sentiments trop longtemps refoulés la soulagea. Auraient-ils le moindre effet sur Ari ? C'était impossible à dire. Peut-être la traiterait-il avec un peu plus de respect, comprendrait-il qu'elle n'était pas qu'un pion qu'il pouvait déplacer à son gré…

Indécis, Ari secoua la tête. Certes, il n'était pas habitué à regretter ses actions ou à se sentir coupable et c'était une sensation qu'il détestait. Mais Christina venait de jeter une lumière crue sur leur passé, le forçant à l'examiner sous un angle neuf.

Il jeta un regard vers la jeune femme. Les yeux dans le vide, elle regardait droit devant elle. Comme absente. Sa main caressait doucement les cheveux de leur fils, seul lien qui les reliait encore l'un à l'autre. A vrai dire, il n'était même pas sûr de pouvoir jouer la carte de l'attirance sexuelle. Bien sûr, il avait senti ses yeux sur lui aux sources chaudes. Il ne doutait pas qu'elle le désirait autant qu'il la désirait. Mais, en l'état actuel des choses, il y avait fort à parier qu'elle ne s'autoriserait jamais à lui céder.

Oui, Théo était la clé, sa seule chance de se racheter.

— Je suis désolé, soupira-t-il. Je ne pensais pas que je t'avais fait souffrir à ce point. Je n'aurais pas dû te séduire. C'est juste que… tu étais irrésistible. Et même si ça ne change rien pour toi, sache que je n'ai jamais, depuis, éprouvé le même plaisir à la compagnie d'une femme.

Comme il prononçait ces mots destinés à l'apaiser, il constata avec stupeur qu'il disait vrai. En réalité, cela faisait des années qu'il avait l'impression de s'ennuyer. Pour être tout à fait honnête, ce n'était qu'en revoyant Christina à Dubai qu'il avait senti l'excitation renaître en lui. Une excitation qui n'était pas uniquement sexuelle, d'ailleurs. Non, c'était plutôt… une soif de vivre.

Avisant le regard dubitatif de la jeune femme, il hocha la tête avec énergie.

— C'est la vérité. Je te le jure.

Elle se tourna franchement vers lui, son beau visage froissé par une moue songeuse.

— Tu n'es jamais revenu, Ari. Tu m'as oubliée. Alors tu me pardonneras si j'ai du mal à te croire.

— Non, je t'ai repoussée pour des raisons qui me semblaient valables à l'époque mais je ne t'ai jamais oubliée. Dès l'instant où je t'ai revue à Dubai, j'ai eu envie de reprendre le fil de notre histoire. Et c'était bien avant que tu ne me parles de Théo.

— Tu étais avec une autre femme.

— J'avais déjà prévu de rompre. Au moins, fais-moi l'honneur de me croire. Je te dis la vérité.

Pour la première fois, il la vit hésiter, comme en proie à un tourment intérieur. Ses longs cils s'abaissèrent sur ses yeux, l'empêchant d'en lire davantage.

— Tes raisons valables pour me quitter, fit-elle d'une voix presque inaudible. C'était quoi ?

— Je pensais que nous avions tous deux des choses à réaliser, nos vies à réussir, et que nous risquions d'être un poids l'un pour l'autre. Je voulais être libre et que tu le sois aussi. Tu venais tout juste de commencer ta carrière de mannequin.

— Mais tu n'es jamais revenu. Tu n'as jamais regretté ta décision.

— Les affaires familiales m'ont complètement accaparé ces six dernières années. Je n'ai pas eu un seul instant pour réfléchir au sens de ma vie. Mais, depuis que je t'ai retrouvée, mes priorités ont complètement changé.

— Accorde-toi un peu de temps, je suis sûr qu'elles changeront de nouveau, ironisa-t-elle d'une voix acerbe.

— Non. Mon offre de mariage tient toujours. Je veux que tu y réfléchisses très sérieusement.

— J'y réfléchirai, c'est tout ce que je peux te dire. Pour l'instant, je suis fatiguée. Peux-tu demander à Jason de nous ramener à Fiera s'il te plaît ? J'aimerais me reposer un peu avant le dîner.

— Comme tu voudras.

Il était clair qu'il ne gagnerait rien à la pousser davantage. Elle ne lui faisait pas encore confiance mais au moins avait-elle accepté de l'écouter, ce qui était un progrès. Ce soir, il aurait l'occasion de lui montrer l'environnement familial dans lequel il avait grandi, et dans lequel il espérait que Théo grandirait à son tour.

7.

Pendant que Théo assemblait sa gare en Lego, Tina se laissa aller à se demander ce qu'aurait été sa vie si elle n'était pas tombée enceinte. De toutes ses forces, elle tenta de se persuader qu'elle se serait remise de sa déception sentimentale rapidement pour consacrer toute son énergie à sa carrière.

Cassandra l'aurait aidée à percer sur la scène internationale. Avec un peu de chance, elle aurait fait partie de l'élite que les photographes s'arrachaient. Son désir de revanche aurait alimenté son ambition. Et elle aurait tout fait pour qu'Ari regrette sa décision.

Lorsque enfin il serait revenu, confessant d'un air penaud qu'il avait fait une erreur en la quittant, elle aurait joué les difficiles. Oh oui ! Elle l'aurait fait courir, attendre, supplier, et ne lui aurait cédé que s'il s'était déclaré éperdument amoureux d'elle. Puis elle aurait exigé une demande en mariage, ni plus, ni moins.

Une demande en mariage… Ne venait-elle précisément d'en recevoir une ? Alors pourquoi n'était-elle pas plus heureuse ? Sans doute parce que les circonstances étaient bien différentes de celles ses rêves. La présence de Théo, pour commencer, changeait totalement l'intrigue de ce petit film qui jouait dans sa tête. En réalité, l'offre d'Ari ne valait rien.

D'un geste décidé, elle ramena autour d'elle les pans de la veste légère qu'elle avait passé. Non, elle n'était plus la gamine naïve, la tête remplie d'étoiles, qu'il avait connue autrefois. Elle ne se laisserait plus séduire par le regard incandescent d'Ari, par les promesses silencieuses qui y brûlaient. Des promesses qui, elle l'avait appris à ses dépens, n'étaient que mensonges. Ari avait peut-être des droits sur Théo mais il n'en avait aucun sur elle !

D'une voix ferme, elle appela Théo. Il était temps de se préparer pour la soirée. Sa mère, bien sûr, portait du noir, un élégant tailleur égayé d'une broche en or. Quant à elle, elle opta pour une robe rouge et blanche qu'elle assortit de sandales et de boucles d'oreilles faites de minuscules coquillages. Puis, elle habilla Théo d'un bermuda bleu et d'un T-shirt rayé sur lequel il insista pour épingler un gros badge rond portant le numéro 5. Le cadeau que lui avait fait Ari durant leur promenade.

A la façon dont le petit garçon se précipita vers Ari quand celui-ci vint les chercher, elle sentit un mélange d'émotion et de désespoir lui serrer le cœur. Aucun doute, sa vie serait irréversiblement bouleversée quand la vérité éclaterait au grand jour. En attendant, elle ne pouvait qu'espérer que les parents d'Ari feraient preuve de discrétion.

A son grand soulagement, Ari fit monter sa mère à l'avant, la laissant prendre place avec Théo à l'arrière. Mais ni les étendues de vignes qui dominaient la mer ni les réponses d'Ari aux nombreuses questions de Théo et sa mère ne parvinrent à la détendre. Elle détestait jusqu'à l'idée de cette soirée où elle et Théo allaient être jugés par les parents d'Ari… Car c'était de cela qu'il s'agissait, non ?

Après un quart d'heure, qui lui sembla durer une éternité, ils arrivèrent enfin à destination. L'allée qui menait à la maison se terminait par une fontaine ornée de quatre sirènes qui fascinèrent aussitôt Théo. La résidence elle-même se composait de trois villas de type méditerranéen reliées par des colonnades et des patios. Elle était toute blanche, à l'instar des autres bâtiments de Santorin.

Ari les conduisit vers le bâtiment central, un peu plus grand que les autres. Rien en ce lieu n'était ostentatoire, bien sûr, mais la qualité des matériaux et l'élégance de l'architecture en disait long sur la fortune de ses propriétaires.

— Nous dînerons sur la terrasse, annonça Ari.

D'un geste, il indiqua une immense terrasse qui surplombait la mer. Au centre, une table était dressée sous une pergola couverte de vigne. Tina sentit son cœur s'emballer en voyant deux personnes se lever pour venir à leur rencontre.

Les parents d'Ari… Le premier regard qu'ils lancèrent vers Théo ne lui échappa pas, mais ils se reprirent très vite et reportèrent leur attention sur sa mère, qu'ils saluèrent chaleureusement, avant de lui serrer la main.

Impossible de s'y tromper, Maximus Zavros évoquait incontestablement Ari en plus âgé. Quant à Sophie, son épouse, c'était une femme très élégante, légèrement gironde, aux yeux vifs et scrutateurs. Consciente d'être elle aussi jaugée, Tina retint un soupir de soulagement lorsque leurs hôtes se penchèrent enfin vers Théo.

— C'est donc toi dont nous fêtons l'anniversaire, dit Sophie en souriant.

— J'ai cinq ans, répondit l'intéressé en désignant son badge.

Puis il se tourna vers le père d'Ari.

— C'est vrai que tu t'appelles Maximus ?

— Oui. Mais si tu préfères, tu peux m'appeler Max.

— Oh non ! J'adore Maximus. Maman m'a amené voir un film sur une fille avec des cheveux très longs… Comment elle s'appelait, maman ?

— Raiponce, souffla Tina, embarrassée par la tournure de la conversation.

— Oui, Raiponce, c'est ça. Et ce que j'ai préféré dans le film, c'est son cheval. Il s'appelle Maximus, comme toi.

— Je suis ravi de porter un nom aussi illustre, déclara leur hôte avec un grand éclat de rire.

— C'est un cheval génial. Il sauve tout le monde à la fin, pas vrai, maman ?

— C'est exact, mon chéri.

— Je ne suis pas un cheval mais je peux t'amener à table sur mon dos, proposa Maximus. Ça t'intéresse ?

En le voyant soulever Théo pour l'installer à califourchon sur son dos, Tina réprima un mouvement de surprise. N'était-ce pas étonnant qu'un homme tel que lui, riche et respecté, se montre aussi à l'aise avec un enfant ? Avec une certaine réticence, elle observa sa mère qui s'était mise à rire avec Sophie Zavros.

— Détends-toi, Christina, lui souffla Ari à l'oreille. Nous voulons juste offrir à Théo un anniversaire mémorable.

— Tu as parlé à tes parents de ton projet de mariage ? demanda-t-elle du même ton.

— Oui. Mais n'y pense pas. Considère cette soirée comme un nouveau départ, avec nos familles, cette fois.

Il y avait une telle conviction dans son regard, une telle certitude, qu'elle ne put s'empêcher d'en être ébranlée. Etait-il possible qu'il soit tout à fait honnête ? Elle prit une profonde inspiration, dans l'espoir de se débarrasser de l'angoisse et des préjugés qui lui empoisonnaient le cœur. Il avait raison. La seule chose à faire était de profiter au maximum de cette soirée et de voir comment les choses évolueraient.

Dès qu'ils s'installèrent à table, un serveur apparut comme par enchantement et déposa deux plateaux de hors-d'œuvres devant eux. Tout était tellement différent quand on vivait entouré de luxe…

— Puis-je vous proposer l'un de nos vins ? demanda le maître des lieux en lui adressant un sourire.

— C'est très gentil mais je ne bois pas d'alcool. Je prendrai de l'eau.

— Helen ?

— Oh ! volontiers, Maximus. J'ai déjà goûté à deux des vins qui étaient dans ma chambre. Ils sont délicieux.

— Je suis ravi qu'ils vous aient plu.

Une fois de plus, Tina nota qu'il suffisait d'un geste discret de Maximus Zavros pour que le serveur remplisse tous les verres à l'exception du sien d'un vin blanc aux reflets de miel.

— On m'a dit que tu nageais comme un poisson, remarqua-t-il en se tournant vers son petit-fils.

— Oui, j'adore nager !

— C'est ta maman qui t'a appris ?

Théo lui adressa un regard incertain.

— C'est toi, maman ?

— Non. Je t'amenais à un cours de bébés nageurs quand tu étais tout petit. Tu as toujours été très à l'aise dans l'eau et tu as appris à nager très tôt. C'est important en Australie, ajouta-t-elle à l'intention de leur hôte. Il y a tellement de piscines là-bas… Sans parler du fait que nous vivons près de la plage.

— C'est très prudent de votre part, en effet. Comme ça, je ne m'inquiéterai pas quand il s'amusera près de la piscine, déclara Maximus en désignant le bassin à débordement qui longeait la terrasse.

Aussitôt, Tina se raidit. S'ils déclaraient les hostilités, elle serait prête ! Mais Ari détourna la conversation, ce n'était que la première d'une série d'allusions qui continuèrent toute la soirée… Les Zavros semblaient fermement décidés à jouer leur rôle de grands-parents et ne se privèrent pas de le faire savoir de façon plus ou moins subtile. De plus en plus sur la défensive, elle s'attendait à devoir sortir les griffes d'un moment à l'autre, mais à aucun moment elle ne perçut la moindre condamnation, le moindre reproche. Les parents d'Ari semblaient au contraire mener une offensive de charme.

Après les hors-d'œuvres, ils firent servir du souvlaki, le plat préféré de Théo depuis leur arrivée en Grèce, puis un somptueux gâteau d'anniversaire. Tina regarda avec émotion son fils souffler les cinq bougies d'un seul coup et dévorer sa part avec gourmandise. Il semblait plus heureux qu'elle ne l'avait vu depuis longtemps ! Quant à sa ressemblance avec Ari, elle était vraiment troublante…

Théo se tourna vers Ari.

— J'ai fait un vœu en soufflant les bougies. Tu crois que ça va marcher ?

— Je l'espère, Théo. Sauf que si tu as fait le vœu d'avoir un cheval comme Maximus, j'ai peur que ce soit difficile.

— Non, j'ai fait le vœu d'avoir un papa. C'est possible, ça ?

Instinctivement, Tina serra les poings sous la table, tandis qu'un silence pesant tombait sur les invités.

— Bien sûr que c'est possible, répondit Ari.

Helen se pencha pour attirer Théo sur ses genoux.

— Ton papou te manque, hein ? Mon mari est mort il y a un an, expliqua-t-elle aux Zavros. Il adorait Théo. Nous n'avons pas eu de fils, Théo était un peu l'enfant prodigue.

— Je comprends, murmura Sophie, les yeux rivés sur le garçon.

— Ari a été merveilleux avec lui, renchérit Helen. Je crois que…

— Ari est très doué avec les enfants, coupa leur hôtesse. Ses neveux le vénèrent. Il fera un père formidable.

Si elle s'adressait en apparence à Helen, Tina savait que ces mots lui étaient destinés. Elle ne doutait d'ailleurs pas un instant de leur véracité. Ari serait un père merveilleux. Mais un mari ? C'était une autre histoire.

Perdue dans ses pensées, à peine consciente de la conversation qui continuait, elle sursauta au moment où Maximus se pencha vers elle.

— Dites-moi, Christina, qui s'occupe de votre restaurant en votre absence ?

Désarçonnée par cette question, elle humecta ses lèvres du bout de la langue avant de répondre :

— Le… le chef et le maître d'hôtel.

— Vous leur faites confiance ?

— Oui. Avant sa mort, mon père a donné un pourcentage du restaurant à chacun. Il est dans leur intérêt que tout se passe bien.

— Je vois que votre père était un homme sage.

Tout à coup, elle comprit où Maximus voulait en venir : il espérait lui faire admettre que le restaurant pouvait tourner sans elle.

— La présence d'un gérant est essentielle, reprit-elle en redressant le menton. C'est le rôle que m'a confié mon père.

— Je n'en doute pas. Mais en tant que Grec, et en tant que père, je sais qu'il attendait davantage de vous.

Le regard de Maximus plongea dans le sien, comme pour la défier de le contredire. C'était inutile, elle en aurait été bien incapable. Oui, il avait raison. Son père avait toujours rêvé de la voir mariée et entourée d'enfants. Elle regrettait de tout son être de n'avoir pu lui donner satisfaction. Mais elle savait aussi que l'amour avait toujours été au centre de la vision de son père. Et Ari ne l'aimait pas.

— J'ai le droit de choisir ce que je fais de ma vie, répondit-elle avec détermination. Mon père respectait cela.

— A ceci près que vous avez un fils, désormais, et que votre enfant doit passer avant tout.

— Papa…, fit Ari d'un ton d'avertissement.

— Elle doit le comprendre, Ari.

— Je comprends, intervint Tina. Croyez-moi quand je vous dis que mon fils est au centre de mes préoccupations.

Baissant la voix pour ne pas être entendue des autres, elle ajouta :

— Et j'espère qu'il est au centre des vôtres. N'oubliez pas que c'est moi sa mère.

Il était hors de question qu'ils se fassent des idées. Personne ne lui enlèverait son fils ! Bien sûr, elle ne comptait pas priver Théo de son père, elle donnerait un droit de visite à Ari, mais elle savait déjà que chaque moment passé loin de Théo la mettrait à la torture. Tout l'argent des Zavros n'y changerait rien. Malgré elle, des larmes lui montèrent aux yeux lorsqu'elle songea aux chamboulements qui s'annonçaient.

— Pardonnez mes manières, grommela Maximus. Vous êtes une très bonne mère et nous le respecterons toujours. L'enfant vous fait honneur. C'est juste que… je veux le voir autant que possible.

Avant qu'elle n'ait pu répondre, la main d'Ari se posa sur son poing serré, sous la table, et y exerça une pression rassurante.

— Tout va bien, murmura-t-il. Nous sommes tes alliés, pas tes ennemis.

Bouleversée, elle baissa les yeux vers la main large qui couvrait la sienne. Ari avait offert de l'épouser. Comme elle aurait aimé que les choses soient aussi simples !

Avec peine, elle déglutit et déclara sans avoir la force de regarder aucun des deux hommes :

— J'aimerais rentrer maintenant. La journée a été longue.

— Bien sûr. Je suis content que nous l'ayons passée ensemble.

— Oui, renchérit Maximus, c'était une merveilleuse soirée. Merci, Christina.

Redoutant d'être entraînée dans une nouvelle conversation, elle se contenta d'acquiescer d'un signe de tête en jetant un regard à Théo endormi en face d'elle.

Les parents d'Ari les raccompagnèrent jusqu'à leur voiture. Après des embrassades et échanges de politesses, Tina laissa échapper un soupir de soulagement en s'installant à l'arrière de la voiture. Enfin ! Elle avait cru que cette soirée ne finirait jamais ! La voiture démarra et la propriété des Zavros disparut dans la nuit.

Tandis qu'Ari et Helen parlaient à voix basse, Tina serrait son fils endormi contre elle. La perspective d'être séparée de lui l'angoissait au plus haut point. Pourtant, il était de plus en plus évident qu'elle n'avait pas le choix. Se découvrir un père ravirait Théo. Comment aurait-elle pu le priver de ce bonheur ?

Lorsqu'ils arrivèrent au El Greco, Ari insista pour porter son fils jusqu'à sa chambre. De peur d'attiser la curiosité de sa mère, elle le guida, impuissante, à travers les couloirs de l'hôtel. Cependant, elle ne put réprimer un frisson quand, une fois la porte de sa suite ouverte, Ari pénétra sans hésiter à l'intérieur.

— Quel lit ? demanda-t-il en se rendant directement dans la chambre.

En silence, elle le dépassa pour ouvrir les draps de Théo. Ari le coucha avec précaution avant de le couvrir, puis de l'embrasser sur le front. Il regarda ensuite leur fils dormir, juste quelques secondes, avant de se tourner lentement vers elle.

Il était tout près d'elle, bien trop à son goût, et exsudait le même magnétisme sexuel qu'autrefois. Il lui fallut mobiliser toute sa volonté pour résister au réflexe de s'enfuir à toutes jambes. Se retrouver seule dans une chambre avec Ari était chose dangereuse.

— M... Merci, bredouilla-t-elle en désignant la porte. Tu peux nous laisser, maintenant.

Sans un mot, il se dirigea vers la sortie. Mais il s'arrêta à sa hauteur et tendit la main, comme pour lui caresser la joue. Cette fois, elle fit un bond en arrière. Elle se moquait bien de lui montrer qu'elle avait peur, elle voulait juste être seule.

— Va-t'en, Ari. Tu as eu ce que tu voulais.

— Je voulais simplement te remercier, répondit-il, les sourcils froncés.

Bien sûr, que s'était-elle imaginée ? Seul son fils l'intéressait, elle aurait dû le savoir… Dans un dernier effort pour maîtriser les battements de son cœur, elle prit une profonde inspiration. Elle devait se montrer raisonnable.

— Très bien. Mais tu n'as pas besoin de me toucher pour ça.

— Pourquoi, je te dégoûte ?

— Ne me cherche pas, Ari. J'ai tenu ma part du contrat.

Il parut réfléchir, puis acquiesça avec une mauvaise grâce évidente.

— Très bien. Je t'appelle demain matin.

— Non ! Demain, Cassandra nous rejoint. Je passe la journée avec ma famille. Nous nous reverrons au mariage.

L'espace de quelques secondes, elle crut qu'il allait protester. Aussi fut-elle surprise de le voir sourire.

— Parfait. J'attendrai donc le mariage avec impatience. Bonne nuit, Christina.

— Bonne nuit, répondit-elle par réflexe.

En silence, elle le regarda s'éloigner, tiraillée par une multitude de sentiments contraires. Elle le détestait et le désirait à la fois, un cocktail d'émotions particulièrement instable. Il la conduirait à la catastrophe si elle n'y prenait pas garde.

Quand Théo apprendrait qu'Ari était son père, il exigerait sa présence. Il voudrait, comme les autres enfants de son âge, avoir une famille normale.

Mais il manquait un élément essentiel à ce conte de fées : le prince n'aimait pas la princesse…

8.

Debout à côté de George, Ari écoutait la cérémonie d'une oreille distraite. A vrai dire, il était impatient d'en finir et de retrouver Christina.

Du coin de l'œil, il observa à la dérobée la jeune femme, qui se tenait non loin de sa sœur de l'autre côté de l'autel. Dans cette robe de satin rouge sombre, elle était d'une beauté à couper le souffle. Aussitôt, il sentit une bouffée de désir s'emparer de lui, le forçant à détourner le regard.

Comment expliquer la force de ses réactions ? Le monde était rempli de belles femmes, et Dieu savait s'il en avait eu sa part… Mais aucune ne l'affectait comme celle-ci. Oui, il devait la conquérir de nouveau, même s'il aurait été bien en peine de dire pourquoi. Etait-ce parce qu'elle était la mère de son enfant ? Ou parce qu'il espérait se faire pardonner, réparer l'erreur qu'il avait commise ?

D'un mouvement de tête, il écarta ses interrogations. Le pourquoi importait peu, après tout. Ce qui importait, c'était de la persuader de devenir sa femme. D'ailleurs, ses parents étaient de fervents partisans de cette idée. Comme à leur habitude, ils ne s'étaient pas privés de le lui faire savoir.

— Elle est merveilleuse, avait dit sa mère. Et je sens que Helen et moi pourrions devenir bonnes amies.

— Elle est belle, intelligente et ne se laisse pas marcher sur les pieds, avait renchéri son père. Cette fille est faite pour toi, Ari. Ne la laisse pas filer. Vous devriez avoir des enfants très intéressants, tous les deux…

Ne pas la laisser filer… C'était plus facile à dire qu'à faire, songea-t-il en sentant la lassitude l'envahir. Christina ne voulait pas le toucher. Et aujourd'hui, elle ne daignait même pas le regarder.

Avait-elle peur de ses propres sentiments, peur de ce qui se passerait si elle lui cédait ? Quoi qu'il en soit, elle devrait bien accepter de le toucher et de le regarder pendant la réception, puisqu'ils étaient censés ouvrir le bal juste après les mariés. Il la ferait valser tout contre lui, sans rien lui cacher de ce qu'il ressentait pour elle. Et elle serait bien forcée de reconnaître que l'alchimie sexuelle, entre eux, était intacte.

Cette fois, elle ne lui échapperait pas !

Tina suivait avec attention les paroles prononcées par le prêtre. Ces paroles, ces mêmes mots exactement, lui seraient adressés si elle décidait d'accepter la proposition d'Ari. Auraient-ils le moindre sens pour lui ou les considérerait-il comme du charabia, un point de passage obligé pour obtenir ce qu'il désirait ?

Après tout, quelle importance cela pouvait-il avoir ? Elle n'avait pas à entretenir ce genre de pensée. C'était sans doute le mariage de Cass qui la troublait et réveillait des sentiments qui devaient rester enfouis. Le plus dur, elle le savait, restait à venir. Une fois que la vérité éclaterait, une fois que la proposition d'Ari serait connue, tout le monde la pousserait à accepter de l'épouser : sa mère, ses oncles, ses tantes…

Seule sa sœur aurait pu prendre sa défense, lui demander ce qu'elle désirait. Hélas, Cass ne serait pas là. George et elle seraient déjà partis en lune de miel. Et puis, comment aurait-elle pu avouer, même à Cass, que ce qu'elle désirait vraiment était inaccessible ? Qu'elle ne pourrait jamais revenir à l'époque bénie où elle avait aimé Ari de tout son cœur et s'était crue aimée en retour ?

Elle reporta son attention sur le déroulement du mariage et son cœur se serra quand elle entendit George promettre amour et fidélité à sa future femme. La fidélité, Ari la lui garantissait contractuellement. L'amour, en revanche…

Des larmes d'émotion lui emplirent yeux.

— Pourquoi les femmes pleurent-elles toujours lors des mariages ? chuchota Ari, la prenant par le bras pour remonter la nef.

Ravalant de justesse ses larmes, elle lui lança un regard noir.

— Parce que le mariage est un acte fondamental, un changement de vie important… J'espère que tout ira bien, que ma sœur sera heureuse.

— Et quelle est ta définition du bonheur, Christina ?

Christina… Est-ce qu'il s'obstinait à l'appeler ainsi pour lui rappeler ce qu'ils avaient vécu ou par simple habitude ? Qu'elle qu'en fût la raison, elle aurait préféré qu'il l'appelle Tina, comme tout le monde. Dans la bouche d'Ari, son prénom complet, lui évoquait la gamine naïve qu'elle avait été.

Une gamine qui n'existait plus aujourd'hui. Elle avait complètement changé ! A ceci près qu'Ari l'attirait toujours… Furieuse contre elle-même, elle se rembrunit. C'était injuste. Pourquoi lui faisait-il cet effet après la souffrance qu'il lui avait infligée ?

— Ma définition du bonheur n'a rien de très original : c'est de continuer à s'aimer en dépit du temps qui passe et des difficultés de la vie.

Puis elle se força à le regarder droit dans les yeux et ajouta :

— C'est le fondement du mariage, et nous n'avons même pas ça, toi et moi…

Au lieu de se démonter, comme elle l'avait espéré, Ari balaya la remarque d'un haussement d'épaules.

— Je ne crois pas que l'amour soit le fondement du mariage.

Bouche bée, elle le dévisagea un instant avant de recouvrer l'usage de la parole.

— Non ?

— Non. L'amour est une folie passagère qui obscurcit le jugement et se consume comme un feu de paille. Moi, je t'offre ma parole. Ça vaut tout l'amour du monde et c'est bien plus fiable.

Comment pouvait-il faire preuve d'un tel cynisme ? C'était révoltant ! Surtout un jour de noces ! Mais il faisait preuve d'une telle conviction qu'elle sentit sa résistance s'étioler. Peut-être avait-il en partie raison après tout… N'empêche, il était hors de question de lui faire le plaisir de le reconnaître.

— Tu sais parler aux femmes, ironisa-t-elle.

— Je me rends compte que c'est un bouleversement majeur, murmura-t-il. Et je te promets de faire tout ce qui est en mon pouvoir pour vous faciliter la transition, à toi et à Théo.

La transition ! Il s'attendait donc à ce qu'elle abandonne son ancienne vie, tout ce qu'elle connaissait, ce pour quoi elle avait travaillé d'arrache-pied. Et tout ça pour un homme qui ne l'aimait pas, et s'en vantait ?

Le photographe qui les attendait à la sortie de l'église leur fit prendre la pose. Elle se força à afficher un sourire factice pendant qu'Ari hissait Théo sur ses épaules. Elle n'était que trop consciente du regard des autres invités qui les regardaient plus au moins discrètement, qui avec curiosité, qui avec bienveillance. Les parents d'Ari n'étaient pas loin, en compagnie de sa mère et d'oncle Dimitri. Aucun doute, si elle refusait la proposition de mariage, tous s'allieraient pour essayer de la faire changer d'avis.

A cette pensée, sa tension devint telle que tous ses muscles lui firent mal. Heureusement, le trajet vers le lieu de la réception lui offrit un court répit. Assis entre

Ari et elle, Théo lui permit d'échapper pour quelques instants à la proximité troublante de son ancien amant. En silence, elle les laissa bavarder tout en les observant à la dérobée. Le plaisir qu'ils éprouvaient à être ensemble sautait aux yeux. Comment expliquerait-elle à son fils qu'il ne pouvait vivre avec son père, un papa qu'il avait si ardemment désiré ?

La voiture s'immobilisa brusquement, la tirant de ses réflexions. Ils étaient arrivés aux chais du domaine Santo, la propriété viticole des Zavros. Elle leva les yeux vers le bâtiment destiné à la réception. Perché au sommet d'une falaise qui tombait droit dans la mer, il semblait tout droit sorti d'un rêve. Les invités affluaient doucement tandis que les mariés se prêtaient de bonne grâce à une nouvelle séance de photos. Une atmosphère festive et bon enfant régnait déjà, sans nul doute alimentée par le champagne offert par une dizaine de serveurs en livrée…

A peine arrivée, elle tenta d'échapper à Ari, mais ce dernier la prit par le bras pour lui présenter toute la famille de George, ravie de rencontrer sa nouvelle belle-sœur.

Il insista ensuite pour la présenter à ses sœurs et à leurs maris, tous plus séduisants les uns que les autres. Leurs enfants, les neveux d'Ari, entraînèrent aussitôt Théo dans leurs jeux. Aux regards spéculatifs posés sur elle, il était évident que tous étaient au courant de sa situation…

Après quelques instants, elle s'éclipsa sous le prétexte d'aller féliciter sa sœur. A son grand dam, Ari lui emboîta le pas. Ne la laisserait-il donc jamais tranquille ?

— Je t'accompagne. George a peut-être besoin de moi.

— Tu leur as tout dit, n'est-ce pas ? s'exclama-t-elle sitôt qu'ils se furent éloignés.

— Pas aux enfants. Je ne veux pas que Théo l'apprenne de leur bouche. Mais personne ne dira rien jusqu'à après le mariage. Je voulais simplement que mes sœurs sachent ce que tu représentais pour moi.

— Je ne représente rien pour toi, répliqua-t-elle avec

irritation. Tu as été assez clair sur ce point quand tu m'as abandonnée !

— Tu es ma future femme.

Furieuse, elle se figea.

— Mais pourquoi essaies-tu de me forcer la main ? Nous pouvons trouver une autre forme d'organisation pour Théo. C'est très courant. Tu n'es pas obligé de m'épouser !

— Obligé, certainement pas. J'en ai envie.

— Seulement à cause de Théo !

— Tu te trompes. Tu m'intéresses tout autant.

Incrédule, elle secoua la tête. Il était hors de question de se bercer d'illusions. Elle refusait d'écouter cette petite voix qui lui soufflait d'y croire, que c'était peut-être possible… Son regard se posa sur Cass et George qui discutaient avec un groupe de mannequins, des amies de sa sœur. D'un geste fébrile, elle les désigna.

— Regarde ce que tu pourrais avoir… Je ne joue pas dans leur catégorie ! La moitié de ces filles tueraient père et mère pour être vues à ton bras.

— Je te l'ai dit : ce n'est pas elles que je veux à mon bras, c'est toi.

— Aujourd'hui, peut-être. Mais demain ? Dans dix ans ? Tu as pensé à l'avenir ?

— Je construirai mon avenir avec toi si tu m'en laisses l'occasion.

Elle laissa échapper un soupir désolé. A quoi bon discuter avec un entêté pareil ? Rien ne le ferait changer d'avis.

— Tu ne crois pas que ça vaut le coup d'essayer ? souffla-t-il. Nous nous entendions à merveille quand nous étions ensemble, tu te rappelles ? Veux-tu vraiment être séparée de Théo toutes les fois qu'il viendra me voir, comme tu le suggères ?

Interdite, elle le fixa sans savoir quoi répondre. Elle n'était pas d'assez mauvaise fois pour mentir. Mais elle voyait bien la façon dont les amies de Cass lorgnaient Ari en cet instant. En smoking, il évoquait plus encore le dieu grec auquel sa mère l'avait comparé. Combien de temps résisterait-il à la tentation ? Et qu'adviendrait-il d'elle quand il y céderait finalement, l'abandonnant pour la deuxième fois ?

Cette simple idée lui soulevait l'estomac et elle se força à ne plus y penser. Parler à Cass la distrairait peut-être. D'un pas décidé, elle se joignit au groupe de célébrités, Ari sur ses talons. A peine les présentations faites, l'un des amis de George, un autre photographe, lui tendit sa carte de visite.

— Venez me voir et je vous rendrai aussi célèbre que votre sœur. Sans vouloir t'offenser, Cass, ta sœur a un physique unique. J'aimerais beaucoup le capturer.

Cassandra éclata de rire.

— Je t'avais dit que tu n'étais pas faite pour cette vie casanière.

— Mais je suis ravie d'être casanière, répondit Tina, se sentant virer au rouge sous les regards braqués sur elle. Non merci.

— Gardez la carte, insista le photographe. Vous avez un port de tête parfait et vos cheveux courts le mettent magnifiquement en valeur. J'ai très envie de travailler avec vous.

— Merci, vraiment. Je n'ai nulle part où mettre votre carte, de toute façon.

— Je te la garde, intervint Ari. Tu changeras peut-être d'avis.

Il sourit aux autres invités avant de reprendre :

— Je ne voudrais vexer aucune de ces charmantes demoiselles, mais je suis d'accord : Christina est très spéciale.

S'il avait voulu la faire passer de pivoine à cramoisie, il ne s'y serait pas pris autrement ! Et son malaise s'accentua encore lorsque Cass se pencha vers elle pour lui souffler à l'oreille :

— Maman a raison, je crois que tu lui as tapé dans l'œil. Donne-lui sa chance. Il est très spécial, lui aussi.

Lui donner sa chance ? Même Cass prenait le parti d'Ari ! C'était comme si le monde entier conspirait sa perte…

— J'ai besoin d'un peu d'air frais, annonça-t-elle à voix basse, dans l'espoir de s'éclipser sans attirer l'attention d'Ari.

Malheureusement, il la prit immédiatement par le bras.

— Si vous voulez bien nous excuser, nous allons respirer l'air marin.

Puis il l'entraîna dehors, vers le muret de pierre qui bordait la terrasse. Sachant d'avance que c'était inutile, elle ne prit pas la peine de protester.

— Pourquoi as-tu pris cette carte ? Je n'en voulais pas.

— Parce que c'est ma faute si tu n'as pas eu la carrière de mannequin que tu méritais. Il n'est pas trop tard pour t'y remettre. Tu as gagné en maturité, ta beauté s'est affirmée au lieu de s'estomper. Si tu voulais redevenir mannequin, sache que tu aurais tout mon soutien.

— Je suis une mère, Ari, ça passe avant tout. Et c'est bien ce que tu attends de moi, que je sois la mère de tes enfants ?

— Ce n'est pas incompatible avec une carrière de mannequin. Certaines mêlent très bien les deux.

Il lui caressa gentiment la joue, du bout des doigts, avant d'ajouter :

— J'ai détruit deux de tes rêves. Je peux au moins t'en rendre un. Quant au second, peut-être que si tu me donnes une chance…

Cette fois, c'était trop. Malgré elle, elle sentit sa gorge se serrer, son esprit et ses sens entrer en ébullition. Elle aurait voulu le croire, désespérément. Mais même Ari Zavros ne pouvait réécrire l'histoire.

Et puis, n'avait-elle rien appris de ses erreurs ? Elle lui avait fait confiance autrefois, pour quel résultat ? Elle n'avait aucune raison de recommencer. Six années ne changeaient pas un homme.

Elle fit un pas en arrière pour échapper à la main qui s'attardait sur sa joue et menaçait de lui faire perdre toute contenance.

— J'aimerais boire un verre d'eau, Ari.

Pendant un moment qui lui sembla durer une éternité, il scruta son regard, comme s'il cherchait un signe de reddition, une faille dans sa cuirasse. Sans ciller, elle soutint son regard jusqu'au moment où il acquiesça.

— Je vais t'en chercher un.

Prudemment, elle le laissa s'éloigner avant d'expulser l'air qu'elle retenait. Puis elle se força à respirer profondément dans l'espoir que la brise fraîche et iodée qui montait de la mer la calmerait. En vain…

En dépit de son expérience avec Ari, ou peut-être à cause d'elle, une petite voix de plus en plus insistante résonnait dans sa tête.

Donne-lui sa chance.

Donne-lui sa chance.

Donne-lui sa chance…

9.

La valse nuptiale…

Avec une profonde inspiration, Tina accepta la main tendue d'Ari. Impossible d'y échapper, et puis… il s'était comporté en parfait gentleman toute la soirée. Drôle, prévenant, la liste de ses qualités semblait infinie. Rien d'étonnant à ce qu'elle lui ait succombé aussi facilement autrefois !

Et que dire de la petite voix qui continuait à lui susurrer *Donne-lui une chance…*

Dès qu'il lui saisit la main, une chaleur qu'elle n'avait jamais oubliée se propagea à tout son corps. De toutes ses forces, elle tenta de se concentrer sur Cass et George qui virevoltaient, les yeux dans les yeux, sur l'air de *Moon River.*

Pourtant, elle ne put réprimer un frisson d'excitation à l'idée que ce serait bientôt à leur tour de s'élancer sur la piste de danse. Cela faisait une éternité qu'il ne l'avait pas tenue dans ses bras. Ressentirait-elle la même excitation qu'autrefois ? Lorsqu'il l'entraîna enfin sur la piste, sa respiration s'accéléra encore et elle se raidit en sentant son bras puissant glisser autour de sa taille.

— Détends-toi, Christina. Laisse-toi gagner par la musique. Je sais que tu en es capable.

Bien sûr qu'il savait ! Il savait tout d'elle, tout de la façon dont son corps réagissait à ses sollicitations. Et si elle devait l'épouser, autant savoir dès maintenant si l'alchimie était toujours là…

Les yeux fermés, elle se força à se décontracter. Ses seins entrèrent en contact avec le torse d'Ari, son ventre avec le sien. Leurs cuisses se touchaient à chaque pas et, après quelques instants, elle constata que leurs cœurs battaient à l'unisson, bien plus vite que la musique.

Oui, elle dansait dans les bras d'un dieu grec qui lui avait offert de n'être qu'à elle. En cet instant, comment ne pas être tentée d'oublier toute prudence et de s'emparer de ce qu'il lui proposait ?

Ari ferma lui aussi les yeux pour s'abandonner au plaisir de danser. Leurs corps s'accordaient comme les pièces d'un puzzle. La courbe des hanches de Christina, la plénitude de ses seins, le parfum de ses cheveux, tout en elle l'enivrait. Plus que jamais, il espérait qu'elle allait lui céder. Elle devait accepter son offre.

La valse prit fin bien trop vite à son goût. On aurait dit qu'elle n'avait duré que quelques secondes. Aussitôt, il sentit Tina reculer. Sans vraiment le repousser, mais juste assez pour rompre le contact de leurs corps. Ses joues avaient pris une teinte rouge et ses yeux étaient baissés, comme si elle redoutait qu'il n'y lise ses émotions. Elle était tout aussi troublée que lui, il en était sûr. Cela suffirait-il à la faire changer d'avis ?

Le disc-jockey invita tout le monde sur la piste pour le morceau suivant, une requête de la mariée. *You Are the Sunshine of My Life*… bien sûr, comment n'y avait-il pas pensé tout de suite ?

— C'était le morceau préféré de ton père, murmura-t-il.

— Oui. Il aurait été très fier de Cass, ce soir.

Tina lui adressa un petit sourire avant d'ajouter :

— Je suis surprise que tu t'en souviennes.

— Je me souviens de beaucoup de choses, Christina.

Et plus particulièrement de cette chanson. Toi aussi, tu étais le soleil de ma vie.

A ces mots, le sourire de la jeune femme vira à la grimace.

— Un soleil qui s'est couché il y a longtemps. Je suis sûre que tu en as retrouvé ailleurs…

— Jamais. Ou alors, une pâle imitation.

— Il faut danser, marmonna Tina. Les gens commencent à nous regarder.

Sans se faire prier, il l'attira contre lui, et fut heureux de sentir qu'elle ne résistait pas. C'était un progrès, après tout. Mais ne cesserait-elle donc jamais de faire allusion aux autres femmes qu'il avait connues ? Le passé était le passé, personne ne pouvait le réécrire. Comment pourrait-il la convaincre de regarder vers l'avenir dans ces conditions ?

Penchant la tête vers elle, il lui souffla à l'oreille :

— C'est ce que nous partageons maintenant qui compte, Christina.

La mine sombre, elle ne répondit rien.

Avec un peu de chance, elle songeait au bien-fondé d'une telle affirmation.

Oublier et ne penser qu'au présent… c'était facile à dire pour lui ! Tina aurait bien voulu prétendre qu'elle rencontrait Ari pour la première fois. Elle se serait alors moquée comme d'une guigne de celles qui l'avaient précédée entre ses bras.

Mais comment oublier leur histoire ? Comment oublier à quel point il l'avait fait souffrir ? Il disait vouloir lui rendre ses rêves, ceux-là mêmes qu'il avait détruits. Mais lui faire confiance était incroyablement risqué. S'il la trahissait de nouveau, elle s'en voudrait pour le restant de ses jours. Pouvait-elle prendre le risque de devenir une femme amère, aigrie par la vie ?

D'un autre côté, ne venait-il pas de lui offrir les moyens de le faire payer s'il la trahissait ? Il perdrait Théo, elle obtiendrait sa garde exclusive et définitive. Avec un tel garde-fou, pourquoi ne pas tenter sa chance ?

Les derniers accords du morceau la tirèrent de ses pensées. Du coin de l'œil, elle aperçut Cass se diriger vers leur mère pour l'étreindre. Au souvenir de son père, son cœur se serra. S'il était là aujourd'hui, il l'aurait encouragée à épouser Ari, elle n'en doutait pas une seconde.

Elle reporta son attention sur son compagnon. Ses beaux yeux couleur d'or, riches de silencieuses promesses… Oui, sa décision était prise.

— Sortons. Je voudrais te parler en privé.

Il acquiesça et la prit par le bras pour la conduire à l'extérieur, sur la terrasse où ils avaient discuté avant le dîner.

— Tu veux t'asseoir ? proposa-t-il en désignant une table de bois sous la pergola.

Les jambes tremblantes, elle ne se fit pas prier. Ari vint s'asseoir en face d'elle et écarta les mains d'un air interrogateur.

— De quoi voulais-tu parler ?

Serrant et desserrant convulsivement les poings, elle se sentait incapable de parler. Sa vie s'apprêtait à prendre une tournure très différente et une soudaine angoisse lui paralysait les cordes vocales. En silence, elle fixa Ari une dernière fois, se l'imaginant en papa poule et en mari fidèle. Etait-ce possible ?

Ce n'est pas en restant muette que tu le sauras !

— Je… je…

— Oui ?

De nouveau, une vague de panique la tétanisa. *Attends ! Ne t'engage pas tout de suite !* lui criait un reste de prudence. Mais attendre quoi, au juste ? La situation ne changerait pas pour autant. Cet homme était le père de son fils, et elle l'avait aimé autrefois. S'il était sincère, pourquoi ne pas lui donner sa chance ?

— Je suis d'accord pour t'épouser, laissa-t-elle tomber tout de go.

Un sourire fendit aussitôt le visage d'Ari. Ses yeux pétillaient de joie. A moins que ce ne soit une lueur de triomphe…

— C'est merveilleux, Christina ! Tu as fait le bon choix.

Il paraissait si enthousiaste qu'elle sentit ses doutes l'assaillirent de nouveau. Avait-elle cédé trop facilement ? Que cachait cette joie ?

— Donne-moi ta main, demanda-t-il en tendant la sienne par-dessus la table.

Elle secoua la tête.

— Je n'ai pas fini.

Aussitôt, elle le vit froncer les sourcils et se raidir, mais il ne retira pas sa main pour autant.

— Quoi d'autre ? Dis-moi ce que je peux faire pour toi.

— Je veux que tu signes le contrat de mariage que tu m'as promis avant tout chose.

Brusquement, comme s'il venait de recevoir une gifle, il s'adossa de nouveau à sa chaise, le visage fermé. Tina sentit son estomac se nouer. S'il refusait, s'il revenait sur ce point de sa proposition, elle ne l'épouserait pas. Le risque était bien trop grand. Il pourrait l'abandonner de nouveau mais, cette fois, partir avec Théo !

Le cœur battant, elle attendit sa réponse…

Ari disséquait mentalement la requête de Tina. Quelles pouvaient être ses motivations ? Elle ne lui faisait pas confiance, c'était évident. Bien sûr, il comprenait pourquoi. Mais que se passerait-il si elle se jouait de lui, si son but secret était la vengeance ?

Le contrat de mariage donnait tous les droits à Tina s'il la trompait. Or, si elle continuait de lui manifester la même hostilité une fois qu'ils seraient mariés, la question ne serait pas de savoir *s'il* la tromperait mais quand. Il n'était pas fou au point de se condamner tout seul… la meilleure chose à faire était de s'assurer que l'alchimie sexuelle, entre eux, était toujours présente avant de s'engager. Pour le moment, tout ce qu'il voyait, c'était qu'elle ne voulait même pas le toucher. Cela n'augurait pas exactement d'un mariage heureux.

Que cachait ce regard brûlant ? La vengeance d'une femme bafouée ? Ou un désir bien compréhensible de se protéger ?

En tout cas, il risquait gros. Tina devrait lui prouver sa bonne volonté avant qu'il ne se lie à elle à tout jamais.

— Je suis prêt à signer ce contrat, énonça-t-il lentement, si tu acceptes de passer une nuit avec moi.

Elle le fixa, comme abasourdie.

— Pourquoi ? Tu auras toutes les nuits que tu voudras quand nous serons mariés.

— Justement, c'est ce dont j'aimerais m'assurer. Tu pourrais très bien te refuser à moi une fois le contrat signé. Regarde, tu ne veux même pas me donner la main.

Une rougeur subite se propagea sur le cou et les joues de la jeune femme. Cependant, lorsqu'elle releva les yeux vers lui, son regard brillait d'une lueur de défi.

— Tu as raison. C'est peut-être une bonne idée de passer une nuit ensemble avant de nous marier. Si ça se trouve, tu n'es plus aussi doué au lit qu'autrefois.

— Je serai ravi de te prouver le contraire.

— Nous devons quitter Santorin après-demain…

— Ça peut s'arranger.

Aussitôt, elle secoua la tête.

— Non. Nous passerons la nuit ensemble demain soir. Du résultat dépendra la suite des événements.

En d'autres termes, elle prendrait ses jambes à son cou s'il ne la satisfaisait pas sexuellement. Non pas qu'il doute de sa capacité à le faire, si du moins elle l'y autorisait…

— C'est d'accord. Mais notre autre contrat prend fin ce soir, Christina. Dès demain, tu révéleras mon identité à ta mère et à Théo. Quoi que l'avenir nous réserve, ce secret a vécu.

— Je le ferai demain matin, comme promis.

— Insiste bien sur le fait que j'ignorais tout de l'existence de Théo jusqu'à nos retrouvailles à Dubai. Si tu m'avais mis au courant de sa naissance, je serais revenu.

Les lèvres de la jeune femme se plissèrent en un rictus moqueur…

— Ne t'inquiète pas. Puisque j'ai accepté de t'épouser, j'ai tout intérêt à te présenter sous le meilleur jour possible.

— Tu n'auras pas à mentir. C'est la vérité !

— Ma vérité, c'est que tu es parti et que je n'avais aucune envie de te revoir. Mais je n'ai pas l'intention de nous compliquer la tâche en ressassant le passé, rassure-toi. Je ferai toujours passer Théo avant tout le reste.

Il ne pouvait qu'acquiescer… cette femme était extraordinaire. Quelle détermination, quelle énergie lorsqu'elle évoquait leur fils !

— J'aimerais être là lorsque tu diras à Théo que je suis son père, reprit-il d'une voix plus douce. J'ai déjà manqué tellement de moments importants… Sa naissance, ses premiers pas, ses premiers mots, son entrée à l'école… Je n'ai pas pu lui apprendre à nager… Je veux au moins voir son visage quand il apprendra que je suis le papa qu'il désire tant.

Le regard de Tina se voila, comme si elle revivait en pensée les instants qu'il venait d'énumérer. Lorsqu'elle parla, une angoisse inattendue sourdait de sa voix.

— J'espère que tu comptes être un bon père, Ari. Je ne veux pas que tu l'abandonnes quand tu te lasseras de la nouveauté.

L'abandonner ? Bien sûr, c'était ce qu'il lui avait fait subir, du moins c'était ce qu'elle s'imaginait. Quel gâchis ! Il sentit une émotion soudaine lui gonfler le cœur, un désir de la réconforter, de chasser ses craintes à tout jamais. Un instant, il fut tenté de lui promettre qu'il veillerait sur leur fils et sur elle jusqu'à la fin de ses jours. Mais il était évident que de simples mots ne suffiraient pas à la rassurer. Elle se défiait encore bien trop de lui.

— Donne-moi ta main, Christina.

Cette fois, elle obéit, glissant ses doigts fins entre les siens.

— Je te promets que je ferai tout pour gagner l'amour de Théo et pour le conserver. C'est mon fils.

A ces mots, il vit les yeux de la jeune femme s'emplir de larmes. Elle acquiesça en silence, comme incapable de parler. Résistant à l'envie de l'attirer contre lui, il se contenta de lui caresser doucement la paume de la main. La brusquer, c'était risquer de perdre le terrain qu'il avait si laborieusement conquis.

— Si ça te convient, je te retrouverai à l'hôtel demain après-midi. Nous annoncerons la nouvelle à Théo avant notre nuit ensemble.

Elle hocha la tête, puis laissa échapper :

— Je suis désolé de ne pas t'avoir dit que j'étais enceinte. Je n'aurais pas dû…

— Tu avais tes raisons, murmura-t-il. Tout ce qui compte, c'est ce que nous faisons à partir de maintenant.

— Oui, répondit-elle d'une voix rauque. Théo fera la sieste après le déjeuner. Viens vers 16 heures, nous lui dirons tout à son réveil.

— Merci.

— Maintenant que tout est réglé, si nous rejoignions la réception ? Les gens vont se demander ce que nous faisons. C'est un jour important pour Cass, je veux être là.

— Bien sûr.

Ils se levèrent. Il savait qu'il aurait dû la relâcher mais il ne pouvait s'y résoudre. Tout doucement, il attira Tina vers lui. C'était plus fort que lui. Il répugnait à la laisser partir.

Elle ne se débattit pas mais posa sa main libre contre son torse, comme pour ne pas aller trop loin. Lorsqu'elle leva les yeux vers lui, ils brillaient d'un éclair de panique.

Comme il détestait cette peur qui lui rappelait sans cesse qu'il l'avait fait souffrir ! Avec un soupir, il déposa un chaste baiser sur son front.

— Je réparerai mes erreurs, Christina. Je te le jure.

Enfin, il la relâcha et lui adressa un sourire qu'il espérait rassurant, retenant juste sa main quelques secondes de plus que nécessaire.

Ce soir, elle appartenait à Cass et à George.

Demain, elle serait sienne.

10.

Tina attendait le départ du reste de la famille avec impatience. Maintenant qu'elle avait décidé de parler à sa mère, le plus tôt serait le mieux. Mais les derniers invités ne semblaient pas dsécidés à partir. Il fallait dire que tout le monde s'était follement amusé. Les mariés, la cérémonie, la réception, tout était prétexte à de chaleureux éloges. Ce dont elle se serait bien passée en revanche, c'était des remarques malicieuses sur la présence d'Ari à ses côtés.

« Il n'avait d'yeux que pour toi. »

« Il ne t'a pas lâchée d'une semelle de toute la soirée. »

« Quel homme charmant. »

« Et séduisant ! »

Malgré ses tentatives pour détourner les questions en recentrant la conversation sur Cassandra, elle lut la même curiosité dans les yeux de sa mère lorsqu'elles se retrouvèrent enfin seules au bord de la piscine, surveillant d'un œil Théo qui apprenait à plonger. Elle se demandait encore la meilleure façon d'aborder le sujet, lorsque sa mère le fit pour elle.

— Tu comptes voir Ari aujourd'hui ?

— Oui. D'ailleurs, puisque nous parlons de lui, j'ai un aveu à te faire.

Elle prit une profonde inspiration pour calmer ses nerfs, puis se lança.

— Je connaissais Ari Zavros bien avant le mariage de

Cass. Je l'ai rencontré il y a six ans, alors qu'il effectuait une tournée des vignobles australiens. Je suis tombée amoureuse de lui.

Aussitôt, elle vit les yeux de sa mère s'agrandir de surprise. Il était évident qu'il ne lui en fallait pas davantage pour comprendre.

— Ari est le père de Théo !

— Oui. Je ne pensais pas le revoir un jour. Ça a été un choc d'apprendre qu'il était le témoin de George. Nous avons décidé d'attendre la fin du mariage pour annoncer la nouvelle à tout le monde.

— Mon Dieu…

L'air soudain angoissé, sa mère se redressa sur son transat pour lui faire face.

— Ces quelques jours ont dû être difficiles pour toi.

A ces mots, Tina sentit les larmes lui monter aux yeux. Elle s'était préparée aux critiques et aux remontrances, pas à une telle empathie.

— Ari ignorait qu'il était le père de Théo, murmura-t-elle. J'ai compris que j'étais enceinte après son départ et je ne voulais pas qu'il se sente obligé de revenir. Maintenant qu'il est au courant, il a bien l'intention de jouer son rôle de père. Il a été très clair sur ce point. Je ne suis pas de taille à lutter. Je n'en ai pas envie, de toute façon. Il a le droit de voir son fils.

Sa mère acquiesça lentement, l'air songeur.

— Et comment comptez-vous vous y prendre, d'un point de vue pratique ?

— Il m'a demandée en mariage.

— Ah.

Il n'y avait presque pas de surprise dans ce simple « ah », comme si rien n'étonnait plus sa mère.

— Sa famille est au courant de tout ça ?

— Oui.

— Hmm, je comprends mieux pourquoi leur accueil était si chaleureux.

— Ils veulent Théo.

— Mais ils se sont aussi montrés très généreux envers toi et moi, ce qui signifie qu'ils sont prêts à t'accueillir dans leur giron. La question, c'est de savoir ce que tu en penses toi.

Tina secoua la tête. A vrai dire, elle se sentait totalement perdue.

— Je ne sais pas. Il m'a abandonnée, il y a six ans. Ça veut dire qu'il ne m'aimait pas.

— Mais toi, tu l'aimais.

— Bien sûr.

— Et maintenant ?

— Je crois que je l'aimerai toujours. Mais c'est Théo qui l'intéresse, pas moi.

— Peut-être as-tu pris une valeur nouvelle à ses yeux maintenant que tu es la mère de son fils. C'est une façon très grecque de voir les choses.

La gorge nouée, Tina se sentit incapable de répondre quoi que ce soit. Après quelques secondes, sa mère soupira.

— Mais ce n'est pas à moi de te dire quoi faire ou ne pas faire, ma chérie. La décision t'appartient.

— Je crois que je vais l'épouser, déclara-t-elle, soulagée de pouvoir l'exprimer à voix haute. Je pense qu'il fera un excellent père. Il m'a demandé de l'attendre pour tout dire à Théo. Après quoi nous passerons quelques heures ensemble, histoire de voir comment les choses se passent. Il veut m'emmener quelque part. Tu pourras t'occuper de Théo, cette nuit ?

Sa mère rosit en comprenant à quoi Tina et Ari occuperaient la nuit en question, mais acquiesça.

— Seigneur, ça fait beaucoup de choses à digérer. J'aimerais que ton père soit encore là…

— Ne t'inquiète pas, tout ira bien.

— Sois prudente, ma chérie. Je ne veux pas te voir souffrir de nouveau.

— Merci. Je suis désolée d'avoir eu à partager ce fardeau avec toi.

— Ce n'est pas un fardeau. Je suis ravie que Théo ait enfin un papa. C'est pour toi que je me fais du souci. J'espère que tout se passera bien entre Ari et toi.

Tina lui répondit d'un sourire vacillant.

Oh ! elle aussi l'espérait. De tout son être.

Ari se sentait épuisé, après la matinée difficile qu'il venait de passer en compagnie de son avocat. Ce dernier s'était montré farouchement opposé à ce qu'il abandonne ses droits sur Théo en cas d'adultère de sa part. Un arrangement financier, selon lui, était acceptable en cas de divorce. Mais il était hors de question de jeter le bébé avec l'eau du bain.

A court de patience, il avait dû taper du poing sur la table.

— Je ne suis pas venu vous demander conseil. Rédigez ce fichu contrat de mariage tel que je vous l'ai dicté.

— Je rédigerai tout ce que vous voulez, avait soupiré l'avocat. Tant que vous ne le signez pas.

Il était vrai que, de tous les contrats qu'il avait signés dans sa vie, il n'avait jamais rien fait d'aussi risqué. L'argent ne l'inquiétait pas, il en avait largement assez. En réalité, c'était Christina qui le préoccupait, son attitude envers lui lorsqu'elle serait devenue sa femme.

En dépit de sa raison, qui lui soufflait la prudence, son cœur lui chantait un tout autre air. Oui, il voulait épouser Christina quelles qu'en fussent les conséquences. Aucune femme ne l'avait jamais touché à ce point.

Il avait été son premier amant et probablement le seul. Et elle lui avait donné un enfant. A cette pensée, il sentit une immense fierté l'envahir. Enfin, Tina se moquait parfaitement de sa fortune. C'était aussi pour ça qu'elle était tellement différente des autres femmes qui avaient traversé sa vie.

Les yeux fermés, il se laissa emporter par ses souvenirs. Non, aucune ne l'avait bouleversé et stimulé à ce point. Christina était unique, elle ne se satisferait jamais de la personnalité superficielle qu'il arborait habituellement avec les femmes. Et il lui prouverait qu'il était à la hauteur de ses attentes, du défi qu'elle lui lançait. Rien ne l'empêcherait de chasser la peur qu'il lisait dans son regard.

Bien sûr, il n'oubliait pas qu'il faisait avant tout cela pour Théo. Mais, après tout, Théo et sa mère formaient une seule et même entité. Ils étaient sa famille. Comment aurait-il pu les laisser repartir à l'autre bout du monde ? C'était tout simplement inenvisageable.

Sûr de lui maintenant, il s'engouffra dans sa voiture. Oui, la première chose à faire, c'était de les empêcher de quitter Santorin. Même si Christina refusait de l'épouser, ils auraient besoin de temps pour discuter de l'avenir. Si elle acceptait, ils auraient un mariage à organiser, et bien plus encore. Alors pourquoi se sentait-il aussi tendu ?

Théo voulait un papa et serait ravi d'apprendre la nouvelle, il n'avait donc pas à s'inquiéter de la réaction de son fils. Non, c'était ce qui se passerait ensuite avec Christina qui le préoccupait. Car si les choses tournaient mal…

Il s'arracha aussitôt à ses idées noires. L'échec n'était tout simplement pas une option.

Tina, sa mère et Théo étaient assis à une petite table en terrasse du restaurant lorsque Ari apparut. En quelques pas, il dévala l'escalier qui menait à la piscine, la mâchoire crispée, comme animé d'une détermination farouche. Aussitôt, Tina sentit un frisson la parcourir. N'était-elle pas sur le point de commettre une terrible erreur ? De toute façon, il était trop tard pour se poser la question…

— Par ici ! s'exclama-t-elle, élevant la voix pour attirer son attention.

L'expression d'Ari s'illumina quand il les aperçut. Avec un cri de joie, Théo bondit de sa chaise pour se précipiter vers lui. Ari le souleva et le percha sur ses épaules en riant.

— J'ai fini ma gare en Lego ! Il faut que tu viennes la voir.

— Laisse-moi d'abord dire bonjour à ta grand-mère et à ta mère.

Il s'approcha de la table avec un regard interrogateur. D'un signe de tête, Tina acquiesça. Oui, sa mère était bien au courant. Aussitôt, le sourire d'Ari s'élargit. Pourtant, il semblait tendu. Avait-il pris conscience que se marier était une décision importante ? Avait-il des doutes de dernière minute, des regrets ?

Pourtant, sa voix basse et ferme n'avait rien d'indécis lorsqu'il s'adressa à sa mère.

— Helen, je veux que vous sachiez que je m'occuperai de votre fille bien mieux que je ne l'ai fait par le passé. Faites-moi confiance.

— Tina et Théo me sont très chers, répondit-elle. J'espère qu'il en sera de même pour vous.

Incapable de détacher son regard du visage d'Ari, Tina le vit acquiescer avec gravité avant de se tourner vers elle

— Théo veut me montrer sa gare en Lego.

— Je vais te conduire à sa chambre. Il a fait un travail formidable, répondit-elle.

Si seulement sa voix pouvait ne pas trembler autant…

— C'était compliqué, n'est-ce pas ? ajouta-t-elle en se tournant vers Théo avec un sourire.

— Très compliqué !

— Je suis sûr que tu t'en es sorti comme un chef, fit Ari.

— Tu nous attends ici, maman ? demanda Tina.

— Bien sûr, allez-y.

Lorsqu'ils franchirent tous ensemble le seuil de la

chambre, elle eut l'impression d'avoir la poitrine dans un étau. Dans un instant, il serait trop tard pour reculer…

— C'est moi qui lui dis, murmura Ari de façon à ce qu'elle soit la seule à l'entendre.

D'abord irritée de le voir prendre le contrôle de la situation, elle se fit aussitôt une raison. Après tout, elle pouvait bien lui accorder ce droit après lui en avoir refusé tant d'autres.

D'un geste lent, elle referma la porte et s'assit sur une chaise pendant que, à genoux près de son fils, Ari s'extasiait sur la gare qu'il avait assemblée. Après quelques instants, Ari s'assit au bord du lit de Théo et demanda :

— Est-ce que ta maman te raconte des histoires pour t'endormir ?

— Oui. Elle me montre les mots dans le livre et j'arrive même à en reconnaître certains, maintenant, répondit fièrement le petit garçon.

— Bravo. Si je te raconte une histoire, je me demande si tu arriveras à deviner la fin.

— Oh oui, raconte ! s'exclama Théo, s'asseyant en tailleur face à lui.

Ari se pencha, coude sur les genoux, les yeux dans ceux de son fils.

— Il était une fois un prince qui vivait dans un pays très éloigné. Un jour, il partit pour un long voyage à l'autre bout du monde…

Stupéfaite, Tina fixa Ari. Un conte de fées pour révéler la vérité ? C'était bien la dernière chose qui lui aurait traversé l'esprit ! Pourtant, c'était habile.

— Là, le prince rencontra une merveilleuse princesse, la plus belle femme du monde. Il passait tout son temps avec elle, jusqu'au moment où il lui fallut rentrer dans son royaume pour le gouverner. La princesse fut très triste de le voir partir. Et lorsqu'elle découvrit qu'elle attendait un bébé, elle décida de ne pas envoyer de message au prince.

Elle avait peur qu'il ne revienne pas et qu'il l'abandonne de nouveau. Alors elle garda le secret.

— C'était un garçon ou une fille, ce bébé ? voulut savoir Théo.

— Un garçon. Il était adoré de sa famille, ce qui convainquit la princesse que son fils n'avait pas besoin d'un papa. Ce qu'elle ignorait, c'était que le garçon, lui, voulait très fort un papa.

— Comme moi ! Sauf que c'est seulement quand je suis allé à l'école. C'est parce que tous mes amis avaient des papas, eux.

— C'est tout à fait normal que tu en veuilles un.

— Et le garçon de l'histoire ?

— Ah, laisse-moi continuer. Quelques années après sa naissance, la sœur de la princesse fut demandée en mariage par un homme qui venait du même pays que le prince. La princesse et toute sa famille traversèrent donc les océans pour se rendre dans le pays du prince. Elle ignorait que le marié n'était autre que son cousin. Lorsque le prince vit son fils pour la première fois, il eut un choc, car ils avaient exactement les mêmes yeux.

— Comme toi et moi !

— Oui, exactement comme nous deux. Mais la princesse demanda au prince de garder le secret jusqu'au lendemain du mariage pour ne pas gâcher un jour si important pour sa sœur. Le prince accepta, même s'il brûlait d'envie de tout dire à son fils. Il était très triste d'avoir manqué ses cinq premières années.

— Je peux deviner maintenant ?

— Vas-y.

Théo pencha la tête de côté, visiblement hésitant, avant de demander :

— Tu es mon papa, Ari ?

— Oui, Théo, répondit-il simplement.

Tina retint son souffle. Un immense sourire fendit le visage de son fils, le même apparut en retour sur celui d'Ari. Aucun des deux ne faisait plus attention à elle, désormais. Après tout, c'était leur moment…

— Je suis content que tu sois mon papa, s'exclama Théo en se levant. Après mon anniversaire, j'ai rêvé que tu l'étais.

Ari le prit dans ses bras et le serra contre lui.

— A partir de maintenant, nous passerons tous tes anniversaires ensemble.

— Mais je ne veux pas que maman soit triste à cause de toi.

Bouleversée par la loyauté de son fils, elle sentit ses yeux s'embrumer.

— Je te promets que je vais bien m'occuper de ta maman. D'ailleurs, nous devons discuter, elle et moi. Tu veux bien rester avec ta grand-mère pendant que nous faisons cela ?

— Est-ce que Yiayia sait que tu es mon papa ?

— Oui. Ta maman lui a annoncé ce matin. Tu pourras en parler avec elle. Demain, nous t'emmènerons rendre visite à tes autres grands-parents, que tu as rencontrés à ton anniversaire.

Théo, à cette nouvelle, bondit d'excitation.

— Maximus est mon papou ?

— Oui, et il a très envie de te revoir, tout comme ma mère. Tu vas faire connaissance avec toute ta famille. Les garçons avec lesquels tu as joué au mariage sont tes cousins, par exemple.

— Ils seront là demain ?

— Tu peux y compter.

Ari se leva, prit son fils dans ses bras et enchaîna :

— Allons retrouver ta grand-mère, maintenant. Ta maman et moi avons beaucoup de choses à régler.

Emue, Tina vit Théo tourner vers elle un sourire interrogateur comme s'il quêtait son approbation. Malgré les doutes qui la tenaillaient, elle s'efforça d'afficher un sourire rassurant. C'était un instant fondateur dans la vie de son fils et il n’était pas question de lui communiquer la moindre inquiétude.

Théo semblait ravi de rester avec sa grand-mère, à laquelle il entreprit de raconter que son vœu d’anniversaire venait de se réaliser. Le cœur battant à cent à l’heure, Tina l’embrassa avant de suivre Ari vers le parking.

Que leur réservait l’avenir ? Elle aurait tout donné pour l’entrevoir, ne serait-ce qu’une fraction de seconde. Au lieu de cela, elle avait l’impression de faire un saut dans l’inconnu. Des émotions qui la tourmentaient en cet instant, elle n’aurait su dire laquelle, de la peur ou de l’excitation, l’emportait.

11.

Ari lui prit la main tandis qu'ils traversaient le parking en direction de sa voiture. Ce lien physique électrisa Tina, lui rappelant l'enjeu des heures qui allaient suivre. Pour lui, il s'agissait sans doute d'une nuit de plaisir parmi d'autres, de l'accomplissement d'un acte plaisant mais banal. Un acte purement technique qui ne laissait pas la moindre place aux sentiments.

Pour elle en revanche… Un frisson la parcourut. Pour elle, c'était différent. L'amour avec Ari avait toujours été une fusion transcendantale, un choc de galaxies. Serait-elle capable de manifester le même cynisme que lui, d'apprécier l'aspect purement physique de leur relation ?

Ari avait promis de ne pas la faire souffrir. Et elle avait envie de le croire. En réalité, ce n'était plus de lui qu'elle avait peur, mais des sentiments qu'il risquait d'éveiller en elle. Serait-elle capable de tenir la bride à ses émotions ?

Au chapitre des bonnes surprises de la journée, Ari s'était admirablement tiré de la tâche qui consistait à tout raconter à leur fils.

— J'ai bien aimé ton conte de fées, dit-elle en lui jetant un coup d'œil en biais. C'était une bonne idée.

— A présent, c'est à nous de veiller à ce que l'histoire finisse vraiment comme un conte de fées, répondit-il d'un air malicieux.

— Un conte de fées, c'est rarement réaliste.

— Mais pas impossible, si tu y crois vraiment.

Il lui ouvrit la porte lorsqu'ils atteignirent sa voiture. Bouleversée, elle marqua une pause et le regarda droit dans les yeux.

— Je ne sais pas en quoi tu crois, Ari. C'est ça le problème.

Une brève lueur illumina son regard mordoré. D'une voix suave, il répondit :

— Demain matin, tu le sauras.

— Je l'espère, soupira-t-elle.

Elle prit place, tandis qu'il se glissait au volant et demanda :

— Où m'emmènes-tu ?

— A Oia, un village du nord de Santorin, le meilleur endroit de l'île pour assister au coucher du soleil. J'ai réservé une suite dans un hôtel de charme. Je pensais que ça te ferait plaisir.

— C'est très… romantique.

— Tu me donnes envie d'être romantique, répondit Ari avec une telle sincérité qu'elle sentit son cœur se serrer.

Troublée, elle détourna les yeux et attacha sa ceinture. Comment pouvait-elle se montrer aussi faible ? Une tirade éculée et la voilà qui fondait. Etait-ce ainsi qu'elle comptait contrôler ses émotions ? Elle savait pourtant qu'elle devait impérativement faire taire la partie de son cœur qui croyait désespérément aux contes de fées, aux belles promesses d'Ari. Si elle décidait de l'épouser, ce serait parce que sa raison lui dictait ce choix, pas pour ses manières de joli-cœur.

C'est Théo qu'il veut, se répéta-t-elle pour s'endurcir. Elle-même n'était qu'un élément rapporté, une promotion « deux pour le prix d'un ». Impossible de dire combien de temps Ari la trouverait attirante ! Même s'il s'avérait le meilleur des amants ce soir, elle devait à tout prix le faire signer ce contrat de mariage.

Visiblement désireux de détendre l'atmosphère, il commenta différents aspects du paysage ou de l'architecture locale tandis qu'ils remontaient vers le nord de l'île. Elle n'avait pas oublié que lorsqu'ils s'étaient rencontrés, six ans plus tôt, il se montrait très curieux lors de chaque voyage qu'ils effectuaient, la pressant de questions sur son pays.

— Où veux-tu que nous vivions si j'accepte de t'épouser ? demanda-t-elle, profitant d'un blanc dans la conversation.

C'était un sujet dangereux, elle en avait bien conscience, mais elle ne pouvait pas ne pas aborder la question. Ari hésita, lui jeta un regard de côté, puis soupira.

— L'Australie est trop loin de ma famille et de mes intérêts financiers, Christina. Nous pouvons nous établir n'importe où tant que c'est en Europe. Mais Athènes me semble le choix le plus logique. Helen aimerait peut-être y revenir. Elle verrait davantage Cassandra et George. Et nous, bien sûr.

Ainsi, il avait déjà tout décidé. Il semblait se moquer que cela revienne à les déraciner complètement, Théo et elle. Seule sa mère sauterait sur l'occasion, en vérité…

— Nous devons aussi songer à l'éducation de nos enfants, reprit Ari avec un sourire.

De nos enfants… C'était tentant. Théo était le centre de sa vie et elle aurait été ravie de pouvoir lui donner un frère, une sœur ou les deux à la fois. Si elle n'épousait pas Ari, il était improbable qu'elle ait d'autres enfants. Un facteur de plus à prendre en considération !

Arrivés à Oia, ils durent abandonner leur voiture à l'entrée du village et emprunter à pied les ruelles étroites qui menaient à l'hôtel. Dès qu'ils furent sortis de la voiture, Ari lui prit de nouveau la main pour remonter à contre-courant le flot des touristes.

De nouveau, elle eut conscience du nombre de femmes qui dévisageaient Ari en le croisant. Cependant, si même les amies de Cass, la veille, n'avaient pas réussi à attirer son attention, elle n'avait pas à s'inquiéter. Dans l'immédiat en tout cas… La question, c'était de savoir combien de temps durerait l'exclusivité dont elle bénéficiait. Un séducteur tel qu'Ari ne resterait pas longtemps en place. Ne le lui avait-il pas déjà prouvé ?

Peut-être la meilleure façon d'affronter l'avenir était-elle de ne pas se préoccuper de la fidélité d'Ari, après tout ? Certes, c'était cynique, mais quel choix avait-elle ? S'il la trompait, elle repartirait avec son fils et plus d'argent qu'elle n'en avait jamais eu. Et puis qui sait ? Sa mère avait peut-être raison en affirmant qu'il apprendrait à l'aimer. A ce stade, il était inutile de se perdre en conjectures.

S'arrachant à ses ruminations, elle reporta son attention sur le paysage alentour. Les maisons d'Oia étaient blotties les unes contre les autres, occupant le moindre centimètre carré de terrain disponible. L'entrée de leur hôtel, encadrée par deux arbres en pot, se trouvait au fond d'une allée minuscule. Le réceptionniste les accueillit avec enthousiasme avant de les conduire à une suite qui occupait le troisième et dernier étage d'un bâtiment perché à flanc de colline face à la mer. La chambre n'était pas grande mais la vue était à couper le souffle.

— Le coucher de soleil est à huit heures, les informa l'hôtelier avant de s'éclipser.

Ils avaient donc trois heures devant eux… Soudain nerveuse à l'idée de passer du temps avec Ari dans une si petite chambre, elle sortit sur le balcon. A sa droite, une petite porte ouvrait sur un escalier de métal en colimaçon qui descendait le long de la façade, reliant tous les étages à une petite piscine en contrebas. Quelques clients s'y prélassaient, allongés sur des transats. Elle les observa un instant, se demandant ce qui les amenait là.

Une détonation derrière elle la fit sursauter et se retourner. Ari venait d'ouvrir une bouteille de champagne. Quelques secondes plus tard, il émergea sur le balcon avec deux flûtes pleines.

— Je sais que tu ne bois pas d'alcool mais que tu fais

une exception pour le champagne, dit-il en souriant. Et puis ça te détendra.

— Merci. Ça fait six ans que je ne me suis pas retrouvée seule avec un homme. Une coupe de champagne ne pourra pas me faire de mal.

— Je suppose que la présence de Théo ne t'a pas aidée à rencontrer beaucoup de prétendants.

Ce n'est pas Théo. C'est toi! eut-elle envie de crier. Mais il était certainement préférable de ne pas partager cette information… Hors de question de lui mâcher le travail en lui avouant sa faiblesse !

— Tu n'as pas à redouter de tomber enceinte, reprit son compagnon. J'ai de quoi me protéger.

— Je ne tomberai pas enceinte. Mon cycle vient à peine de commencer.

— Ah ! Encore mieux.

Ari sourit, ses yeux ambre brillant de plaisir.

— Je te promets que nous allons passer un excellent moment ensemble, Christina. Au plaisir de nous redécouvrir.

Sans la quitter des yeux, il fit tinter son verre contre le sien et une vague de chaleur lui sembla se propager dans tout son corps. Dans l'espoir de calmer ses nerfs, elle porta la coupe à ses lèvres et avala une généreuse goulée de champagne. Une tentative bien inutile, car il suffit à Ari de passer un bras autour de la taille, pour ruiner tous ses efforts. Aussitôt, un torrent de souvenirs et de sensations la submergea, emportant le peu de sang-froid qui lui restait.

— Je n'ai pas envie d'attendre ce soir, annonça-t-elle d'un ton décidé. Faisons-le, Ari. Je ne veux pas de dîner aux chandelles, de grandes déclarations romantiques face au coucher de soleil, ou quoi que ce soit qui fasse partie de l'arsenal que tu utilises habituellement avec tes maîtresses. Allons droit au but.

En silence, Ari lui prit son verre des mains et le posa à

côté du sien sur la balustrade de pierre. Lorsqu'il l'attira contre lui et, d'un doigt, lui redressa le menton, elle sentit un frisson d'anticipation la parcourir.

— Il y a bien des questions en suspens et, moi non plus, je n'ai pas envie d'attendre.

Avant qu'elle n'ait eu le temps de répondre, la bouche d'Ari fondit sur la sienne avec une telle vigueur qu'elle esquissa un mouvement de recul instinctif. Il avait toujours été très tendre avec elle, jamais brutal. La panique la submergea. Que savait-elle de l'homme qu'il était devenu ?

— Bon sang, grommela-t-il, la respiration lourde. Je vais me contrôler, Christina, je te le promets. Ça ne me ressemble pas.

Sans attendre sa réponse, il revint à la charge. Il déposa un baiser léger sur ses lèvres, puis un autre, et un autre encore. Aussitôt, elle sentit une langue de feu lui traverser le corps, embraser tout son être. Ses muscles crispés se détendirent brusquement. Levant des bras lourds de plaisir, elle les noua derrière la nuque d'Ari et s'ouvrit à un baiser plus profond, passionné.

C'était ainsi qu'elle se le rappelait, l'amant sensuel et attentionné, le guide qui la menait d'une main experte vers des territoires où elle ne s'était jamais aventurée. Les yeux fermés, il était aisé de redevenir la jeune femme vierge qui avait connu le plaisir pour la première fois.

Entre les bras d'Ari, c'était toujours la première fois. Il avait peut-être connu mille femmes, mais il n'y avait rien de routinier dans la façon dont il l'embrassait.

Les mains d'Ari glissèrent sur ses fesses, comme pour la plaquer encore plus contre lui. La violence de son érection la propulsa vers de nouveaux sommets d'ivresse. Il avait vraiment envie d'elle, elle ne pouvait plus en douter. Un tel désir n'était pas feint. Cette escapade n'était donc pas qu'une manœuvre cynique concoctée par l'esprit tordu d'Ari pour récupérer son fils.

Une vague d'excitation la parcourut à cette idée.

Leurs langues se mêlèrent, elle glissa ses doigts dans les cheveux d'Ari, pressant sa bouche contre la sienne comme si sa vie dépendait de ce baiser. Et, d'une certaine façon, c'était le cas.

Il ne l'abandonnerait plus. Elle ne le laisserait pas faire. Jamais.

Le souffle court, Ari rompit soudain leur baiser.

— Nous ferions bien de rentrer.

Sans effort, il la souleva dans ses bras pour franchir les quelques pas qui les séparaient du lit. Blottie contre son torse puissant, elle sentait son propre cœur battre la chamade sous l'effet d'un mélange de peur et d'excitation. Ils allaient se déshabiller. Elle allait le revoir nu — enfin — mais elle devrait également s'exposer à son regard. Serait-elle à la hauteur des autres femmes qu'il avait connues ? De la blonde de Dubai, par exemple ?

Qu'importe ! Il avait envie d'elle, elle venait d'en avoir la preuve. Et, même si son corps s'était arrondi, il était ridicule de s'inquiéter. Ari la désirait et le regard brûlant qu'il posait sur elle en cet instant suffisait à le prouver. Sans parler de la bosse impressionnante qui gonflait son pantalon de toile…

Il la déposa près du lit et la dévisagea intensément, comme pour lui donner une dernière chance de changer d'avis. Déterminée à ne pas flancher si près du but, elle lui adressa un sourire vacillant.

— Tu es unique, Christina, souffla-t-il. Je n'ai jamais rencontré une femme telle que toi.

Il s'approcha plus encore, et lui déposa un baiser sur le front. Un geste simple, plein de tendresse… malgré elle, elle sentit sa gorge se serrer. Sincères ou non, ces mots la touchaient au plus profond de son être. Elle ferma les yeux et laissa Ari lui embrasser les paupières.

Puis elle sentit qu'il glissait ses pouces sous les bretelles de sa robe d'été pour les faire glisser. Il posa les lèvres sur ses épaules nues avant de la faire pivoter et d'ouvrir la fermeture Eclair dans son dos. Les yeux toujours clos, elle était concentrée sur tous ses autres sens. Comme elle aimait le contact de ses lèvres sur sa peau, de ses doigts sur sa colonne vertébrale ! Une bouffée du parfum d'Ari lui emplit les poumons : c'était le même que celui qu'il portait autrefois. Le plaisir qu'il lui procurait était le même, lui aussi. C'était presque comme si les six dernières années n'avaient jamais existé…

Sa robe tomba enfin à ses pieds. Elle la portait sans soutien-gorge et son seul vêtement était à présent le bas de Bikini vert qu'elle avait enfilé pour la piscine. Les larges mains d'Ari enveloppèrent ses seins et les massèrent doucement, avec une sorte de ferveur déroutante.

— Tu as allaité Théo ? demanda-t-il.

Ainsi, il pensait à son fils… Même en cet instant, il la voyait comme une mère et non comme une femme. Un éclair de douleur la traversa, mais elle se ressaisit aussitôt. Après tout, c'était aussi une façon de se différencier de ses autres maîtresses… Elle était celle qui avait donné naissance à son fils. Aucune autre qu'elle ne pouvait prétendre à ce titre.

— Oui, répondit-elle d'une voix rauque.

— Quel bébé chanceux…

Les lèvres d'Ari se refermèrent sur la pointe de l'un de ses seins, la taquinèrent un instant, puis l'aspirèrent. Aussitôt, un frisson de plaisir se répandit dans tout son corps, tandis qu'un feu liquide lui enflammait le ventre. Une chaleur humide lui inondait l'intérieur des cuisses. Par un réflexe presque animal, elle agrippa les épaules d'Ari, plantant ses doigts dans les muscles qui roulaient sous sa peau.

Lorsqu'il déplaça ses lèvres pour administrer la même délicieuse torture à son autre sein, elle rejeta la tête en arrière avec un soupir. Ses poumons la brûlaient, à croire que l'oxygène se raréfiait dans la pièce. Perdue dans un tourbillon de sensations, elle n'aurait su dire si elle éprouva de la déception ou du soulagement lorsque Ari redressa enfin la tête.

Elle n'eut pas l'occasion de s'interroger longtemps. D'un geste vif, il la débarrassa de son bas de Bikini. Complètement nue désormais, elle n'avait pourtant plus peur du spectacle qu'elle offrait. Le désir, en elle, avait remplacé doutes et angoisses.

Avec un grondement quasi animal, Ari l'attira contre lui et l'embrassa de nouveau. C'était un baiser sauvage, farouche, mais cette fois elle y répondit avec fougue. Elle brûlait de sentir cet homme en elle, dur et palpitant. Elle n'avait jamais cessé de l'aimer ! Elle en était sûre à présent.

Il la fit basculer sur le lit mais ne la rejoignit pas aussitôt. Déroutée, elle releva la tête et le chercha du regard. Il était en train de se déshabiller à la vitesse de l'éclair. En voyant son sexe émerger, rigide et conquérant, un frémissement s'empara d'elle. Oui, il avait un corps parfait. Sa peau tannée brillait comme du cuivre. Son torse glabre, aux muscles bien dessinés, appelait les caresses. Ses hanches étaient étroites mais ses cuisses puissantes.

Avec une grâce féline, il monta à son tour sur le lit. Au lieu de céder à l'urgence qu'elle ressentait, il s'allongea à ses côtés et la prit dans ses bras. Tout en l'embrassant, il promenait ses mains sur son dos, au creux de ses reins. De là, il descendit le galbe de ses fesses, glissa à l'intérieur de ses cuisses. Avec un gémissement, Tina remonta une jambe contre la sienne, offrant le cœur de son être aux doigts experts d'Ari. Elle les sentit glisser en elle.

Il la caressa d'abord doucement, accentuant peu à peu sa pression, sans cesser de l'embrasser. Ivre de plaisir, elle tremblait à présent comme une feuille. De l'électricité pure paraissait couler dans ses veines. Une boule d'énergie enflait au plus profond de son ventre, accélérait sa respiration et affolait ses neurones.

Les lèvres d'Ari se détachèrent des siennes pour se reporter sur ses seins. Ils étaient lourds, tendus en un muet appel auquel il il répondit avec ardeur. Du bout de la langue, il suivit le tracé de leurs aréoles sombres.

La tête renversée en arrière, elle se concentra sur les sensations que faisait naître en elle la bouche d'Ari qui continuait son enivrant voyage le long de son ventre, tandis que ses doigts se faisaient plus pressants. Il lui embrassa le nombril avant de redresser la tête pour regarder droit dans ses yeux.

— Tu as porté mon fils… J'aurais dû être là, avec toi, pendant l'accouchement. Je serai là pour nos futurs enfants, promit-il d'une voix sourde.

De quoi parlait-il ? Elle n'avait aucune envie de s'étendre sur ce genre de considération ! L'avenir, pour le moment, se résumait à la seconde suivante. Le désir qui la ravageait était tel qu'elle en aurait presque pleuré.

— Assez ! cria-t-elle en lui agrippant les épaules. Prends-moi, maintenant !

A son immense soulagement, Ari ne se fit pas prier. Il prit position entre ses jambes, qu'elle avait instinctivement levées pour les enrouler autour de sa taille. Des convulsions de plaisir la saisissaient déjà et l'orgasme la faucha sitôt qu'il pénétra en elle, l'emplissant d'une présence massive.

Elle s'arc-bouta contre les draps, balayée par des vagues de jouissance qui semblaient destinées à ne jamais s'arrêter. Les mains d'Ari se refermèrent sur sa taille pour la plaquer tout contre son bassin. Le rythme de ses assauts s'accéléra et, contre tout attente, elle sentit une seconde onde d'extase la terrasser au moment même où il explosait au plus profond d'elle-même.

Au loin, elle l'entendit crier son nom et ce simple détail l'emplit de joie. Elle savait qu'elle l'avait touché, qu'ils avaient partagé cette même union sacrée, muette et sublime, qu'autrefois. Cette magie indéfinissable qui lui avait fait penser, alors, qu'Ari était l'homme de sa vie.

Aujourd'hui, elle en était tout aussi convaincue.

Haletante, blottie dans les bras d'Ari, elle réalisa qu'elle se sentait bien. En réalité, c'était même la première fois depuis presque une semaine qu'elle se sentait complètement détendue.

Oui, Ari la désirait toujours avec la même force. Se lasserait-il, comme il l'avait déjà fait ? Peu importait à vrai dire. Si c'était le cas, elle repartirait avec son fils. Mais supporterait-elle qu'il lui brise le cœur une seconde fois ?

C'était une question à laquelle elle préférait ne pas songer.

12.

Ari ne pouvait se méprendre sur ce qu'il ressentait : oui, il était heureux. Et c'était inhabituel.

En général, il éprouvait de la satisfaction après l'amour. Il se sentait détendu. Mais heureux ? Jamais. Faire l'amour à Christina produirait-il invariablement le même résultat ou cette exultation était-elle due à d'autres facteurs ? A la frustration, par exemple ?

Comment oublier le mal qu'il avait eu, après l'avoir embrassée, à refréner son impatience ? Certes, cela faisait près d'une semaine qu'il bridait son désir, mais se voir soudain autorisé à lui donner libre court avait bien failli lui faire perdre tous ses moyens. Ses hormones, brutalement libérées, avaient obscurci sa raison. Il avait été à deux doigts de tout gâcher, à vrai dire. C'était d'autant plus étonnant qu'il avait toujours pu compter, dans sa vie privée comme professionnelle, sur un sang-froid à toute épreuve !

Son regard glissa sur les courbes souples de la jeune femme lovée dans ses bras. Seigneur, elle était parfaite. Non, pas parfaite, corrigea-t-il. Il la préférait avec les cheveux longs. Non pas qu'ils lui aillent mieux en réalité, mais parce que le plaisir qu'il avait éprouvé, six ans plus tôt, à y glisser les doigts était toujours présent en lui.

Mais ce détail était sans importance. L'essentiel, c'était qu'il n'y avait plus de barrière entre eux, du moins plus de barrière physique. Psychologiquement, c'était une autre affaire. Cette nuit allait-elle enfin lui permettre de vaincre les dernières réticences de Tina ?

Il savait qu'il lui avait procuré un plaisir intense. Mais cela suffirait-il à la convaincre de l'épouser ? Il aurait sans doute dû lui parler, l'interroger sur son état d'esprit et les conclusions qu'elle tirait de ces instants explosifs. Mais il répugnait à briser le silence. Après tout, ils avaient toute la nuit devant eux. Au moins était-il sûr, à présent, qu'elle ne resterait pas de marbre dans le lit conjugal…

Ils se prélassèrent pendant de longues minutes, leurs corps alanguis caressés par la brise du soir. Puis Tina s'étira et redressa la tête.

— J'ai besoin de me rafraîchir.

Lorsqu'il la relâcha, elle se leva d'un bond et se dirigea vers la salle de bains. Il ne vit pas son visage mais ne put s'empêcher de sourire en étudiant sa silhouette parfaite, la forme en sablier de ses hanches et ses longues jambes.

Oui, il aimait tout chez elle. Personne ne serait surpris par sa décision de l'épouser. Evidemment, il se moquait de ce que les gens pensaient. Mais il savait que la gente féminine pouvait se montrer coupable de jalousie et de mesquinerie, comme Felicity Fullbright le lui avait prouvé à plus d'une reprise.

A présent que leur compatibilité sexuelle était confirmée, il était impatient d'aller de l'avant. Mais son enthousiasme se refroidit lorsque Tina ressortit de la salle de bains vêtue d'un kimono qui la couvrait du cou jusqu'aux chevilles. Au moins, le message était clair : elle n'était pas prête à revenir au lit.

— Il y a un autre kimono derrière la porte, annonça-t-elle. Ce sera plus facile que de se rhabiller pour regarder le coucher du soleil.

Et plus facile pour se déshabiller de nouveau, songea-t-il, faisant mine d'accepter son plan sans protester. Il était évident qu'elle avait pris une douche — sans l'inviter à la rejoindre — et qu'elle mettait un terme provisoire à leur intimité. La question était de savoir pour combien de temps. En tout cas, elle lui offrait un nouveau défi — brûlante au lit, froide en dehors — qui l'intriguait et le stimulait au plus haut point.

Bref, la partie n'était pas encore gagnée !

— Jette un œil au menu posé sur le bureau pendant que je me douche. Nous commanderons directement dans la chambre.

Avec un sourire un peu raide, Tina s'exécuta et se plongea dans l'étude de la carte. Quand il se leva à son tour, elle ne lui adressa pas un regard. Etait-elle embarrassée par ce qu'ils venaient de faire ? Par la façon dont elle avait réagi sous ses caresses ?

Tout à ses réflexions, il pénétra sous la douche et poussa un soupir de bien-être en sentant le jet d'eau brûlant sur sa peau. Oui, chacune de ses aventures amoureuses avait commencé par du désir mutuel. Mais la seule que la routine n'avait pas détruite après quelques semaines, c'était sa liaison avec Christina. Pourquoi était-il parti ? Les raisons ne lui paraissaient plus si claires à présent. Il se rappelait confusément qu'il s'était agi d'impératifs professionnels, les siens et ceux de Tina. Il n'avait pas voulu briser sa carrière de mannequin ou négliger ses propres affaires.

Bonne ou mauvaise, cette décision revenait sans cesse sur le tapis. Comment être sûr que l'alchimie sexuelle soit la réponse à tous ses problèmes, le fondement d'un mariage réussi ?

Le désir était une chose, mais comment vivre en couple sans partager le moindre atome crochu avec l'autre ? C'était un épineux problème et il ne disposait que de quelques heures pour le résoudre.

Après avoir ramassé leurs vêtements, Tina reprit le menu et alla s'asseoir à la petite table pour deux qui se trouvait sur le balcon. Trop anxieuse pour avaler quoi que ce soit, elle avait déjeuné légèrement, et elle était affamée. A présent qu'elle se sentait plus détendue, la perspective d'un dîner face au soleil couchant la ravissait.

Elle étudia la carte avec curiosité, songeant que c'était le premier repas qu'elle prenait en tête à tête avec Ari depuis leurs retrouvailles. Elle en profiterait pour l'interroger sur ses habitudes, sur son style de vie, prélude essentiel à toute vie commune. Un mariage n'était pas un simple partenariat sexuel, aussi explosif fût-il. Il était hors de question qu'Ari s'imagine qu'il n'avait pas à lui offrir plus que cela.

Evidemment, sa sensualité exacerbée était un atout, dut-elle admettre quand il émergea à son tour sur le balcon vêtu du second peignoir. Il était si viril, si magnétique, qu'elle sentit une bouffée d'hormones pulser dans ses veines. Décidée à ne rien trahir de son trouble, elle l'accueillit d'un sourire aimable.

— Tu as trouvé ton bonheur ? demanda-t-il en désignant le menu.

— Oui.

Elle improvisa un choix d'entrée, plat et dessert. Son appétit lui valut un sourire approbateur de son compagnon.

— J'ai une faim de loup, moi aussi. Donne-moi le menu, je vais choisir quelque chose et passer commande.

Il désigna l'horizon qui s'embrasait et ajouta :

— C'est magnifique, non ? Je ne m'y habituerai jamais.

Déjà, la mer et le ciel changeaient de couleur. Ari glissa le menu sous son bras, récupéra leurs coupes à moitié vides et rentra dans la chambre pour appeler le service d'étage, tandis qu'elle s'accoudait au balcon pour regarder les vagues aux reflets fauves. Elle devait absolument profiter de ce répit pour discipliner ses sens ! Ari et elle avaient beaucoup à se dire, et elle voulait pouvoir discuter avec lui sans être constamment assaillie de pensées lubriques.

Après quelques minutes, il revint sur le balcon, deux verres et une bouteille de vin blanc en main. Elle marqua une hésitation, avant de tendre la main vers l'un des verres. Le vin, après tout, faisait partie intégrante de la vie d'Ari et, s'ils devaient partager leur quotidien, autant commencer à s'y intéresser.

Il venait de déboucher la bouteille lorsqu'une voix monta de la piscine en contrebas.

— Ari ! Ari… C'est bien toi ?

Instantanément, Tina sentit tout son corps ce tendre. La femme avait un accent britannique qui n'était pas sans rappeler celui de la compagne d'Ari à Dubai.

Elle le vit baisser les yeux et se raidir. Il répondit d'un simple salut de la main avant de se détourner pour remplir leurs verres. Un muscle jouait nerveusement le long de sa mâchoire, ses lèvres s'étaient plissées en une ligne blanche. Manifestement, il n'appréciait pas cette intrusion.

— C'était qui ? ne put-elle s'empêcher de lui demander.

Les occasions d'affronter l'une ou l'autre de ses maîtresses ne manqueraient certainement pas ! Autant commencer maintenant.

— Stéphanie Gilchrist, répondit Ari avec une grimace.

— Elle ne t'a pas laissé un bon souvenir ?

— Je la connais à peine. Apparemment, elle est ici avec sa dernière conquête, Hans Vogel. C'est un mannequin allemand presque aussi insupportable qu'elle. J'ignorais qu'ils étaient dans cet hôtel.

— Ari ! appela de nouveau Stéphanie, avec plus d'insistance cette fois.

— Bon sang, marmonna-t-il, pivotant pour se pencher par-dessus le balcon. Quoi ?

— Qu'est-ce que tu fais à l'hôtel ? demanda la jeune femme depuis la piscine. Je croyais que tu avais une maison à Santorin. C'est du moins ce que Felicity m'a dit avant que…

— Cet hôtel offre la plus belle vue du coucher de soleil, coupa-t-il, et je suis venu la partager tranquillement avec quelqu'un. Pourquoi ne faites-vous pas de même, Hans et toi ?

Il lui adressa de nouveau un geste de la main mais Stéphanie avait apparemment décidé de ne pas en rester là.

— Je monte, annonça-t-elle d'un ton belliqueux.

Ari jura à mi-voix. Le front barré par une ride soucieuse, il se tourna vers Tina. Ses yeux semblaient plus animés encore que d'ordinaire.

— Je suis désolé, je ne peux pas l'empêcher de monter. L'escalier de secours est ouvert à tous les clients. En revanche, je te promets de tout faire pour me débarrasser d'elle le plus vite possible.

Affectant le plus parfait détachement, elle haussa les épaules.,

— Je peux me montrer polie avec l'une de tes… connaissances, répliqua-t-elle.

Le regard plongé dans ses yeux mordorés, elle le fixa intensément. Lui avait-il menti quant à leur degré d'intimité ? Non, il semblait sincère, car il se contenta de hausser les épaules d'un air résigné. Il n'y avait pas la moindre trace de culpabilité dans ses yeux.

— Je n'en doute pas. C'est juste que je n'ai pas la moindre envie de lui parler.

— Qui est-elle exactement ?

— Une amie de Felicity Fullbright, expliqua Ari en hâte. Felicity est la jeune femme avec laquelle tu m'as vu à Dubai. Puisque Stéphanie est là, j'ignore si elle sait que nous avons rompu. Quoi qu'elle dise, ne fais pas attention à elle, d'accord ? Ne t'inquiète pas.

Inquiet, lui l'était. C'était évident.

Après tout, c'était l'occasion rêvée de vérifier qu'elle n'était pas sur le point de commettre une erreur fatale en l'épousant ! Cet incident tombait à point nommé.

— Combien de temps a duré ta relation avec Felicity ? demanda-t-elle, presque malgré elle.

— Six semaines. Largement assez pour me rendre compte qu'elle n'était pas faite pour moi.

— Cela ne fait qu'une semaine que nous nous sommes retrouvés. Comment sais-tu que je suis faite pour toi ?

Le claquement de sandales sur les marches de fer approchait. Ari jeta un regard nerveux en direction de l'escalier avant de répondre :

— Parce qu'entre nous c'est complètement différent.

— En quoi ?

Pourquoi s'obstinait-elle à l'interroger ? Elle connaissait déjà la réponse hélas. La différence majeure, c'était Théo, rien de plus ! Ne le lui avait-il pas déjà clairement fait comprendre ? Pourtant, si elle l'épousait, il leur faudrait vivre ensemble à temps plein. Six ans plus tôt, il s'était lassé d'elle après quelques mois à peine. Qu'est-ce qui l'empêcherait de recommencer cette fois ?

L'arrivée de Stéphanie les empêcha de poursuivre leur conversation. Elle était grande, voluptueuse et vêtue d'un Bikini qui ne laissait rien à l'imagination. Ses longs cheveux blonds lui tombaient presque jusqu'au creux des reins.

Ses yeux d'un bleu très clair, presque aigue-marine, prirent aussitôt Tina pour cible.

— Tiens, tiens, une nouvelle potiche. Même pour toi, Ari, c'est un record. J'ai croisé Felicity il y a quelques jours à Heathrow, elle m'a appris que vous veniez tout juste de rompre. Elle n'avait pas l'air de savoir que tu l'avais déjà remplacée.

Stéphanie Gilchrist ne s'embarrassait pas de politesses ou de présentations ! Déroutée par ce feu de barrage, Tina serra les dents et garda le silence. Mieux valait laisser Ari affronter cette harpie.

— Tu te fais des idées, Stéphanie, répondit-il d'un air aimable. Tina et moi nous connaissons depuis de longues années. Nous nous sommes rencontrés en Australie. Tina est également la sœur de Cassandra, qui a épousé mon cousin George hier. Le mariage nous a permis de nous retrouver. Nous avons compris que nous avions beaucoup de choses en commun. N'est-ce pas, Tina ?

— Absolument, répondit-elle avec un sourire qu'elle espérait convaincant.

Stéphanie l'étudia avec une moue perplexe, un sourcil levé.

— En Australie, hein ? Et je suppose que vous n'êtes pas pressée de rentrer maintenant que vous avez mis le grappin sur Ari.

La vulgarité de la nouvelle venue eut enfin raison du sang-froid de Tina.

— Je n'ai pas pour habitude de « mettre le grappin » sur qui que ce soit. D'ailleurs…

— C'est moi qui lui ai mis le grappin dessus, coupa Ari avec un sourire suave. Elle est irrésistible, je n'ai pas pu m'en empêcher. A présent que tu as appris ce que tu voulais savoir, Stéphanie, pourquoi ne cours-tu pas retrouver Hans ? Je crois que tu commences à énerver une femme qui compte beaucoup pour moi.

— Qui compte pour toi ? ricana l'autre. C'est aussi ce que tu as dit à Felicity, je suppose ?

— Non. Vois-tu, Felicity n'aimait pas les enfants, un défaut rédhibitoire pour moi. C'est la raison de notre séparation.

Stéphanie tressaillit, comme déroutée par la tournure de la conversation, puis reporta son attention vers Tina pour déverser une dernière fois son fiel.

— Eh bien, on dirait que je viens de vous rendre service. Maintenant, vous savez que vous avez intérêt à aimer les enfants si vous ne voulez pas finir au rebut comme les autres.

Puis, ses cheveux blonds fouettant l'air, elle pivota et disparut dans l'escalier. Tina la regarda s'éloigner, vaguement médusée. Etait-ce la chance ou la malchance qui l'avait fait apparaître à cet instant précis ? Stéphanie avait eu le mérite de soulever plusieurs points sensibles.

— Tu me connais à peine, Ari. Est-il vraiment raisonnable de nous marier ?

— Je te connais assez pour savoir que oui, je veux t'épouser. Et pas seulement parce que tu m'as donné un fils. Il n'y a rien que je n'aime pas chez toi.

— Je suis touchée par ce merveilleux compliment, railla-t-elle. Mais y a-t-il quelque chose chez moi que tu apprécies de manière plus active ?

Sans la quitter des yeux, il s'assit et poussa vers elle un verre plein.

— Bois ça. Le vin t'aidera à oublier Stéphanie.

Sans le quitter des yeux, elle obéit. Après quelques secondes, l'expression d'Ari s'adoucit.

— J'aime l'amour que tu portes à ta famille. J'aime ta générosité, ton courage, ta persévérance, ton intelligence. J'aime ta combativité. C'est le genre de qualités qui feront de toi l'épouse parfaite.

Malheureusement, il ne parlait pas d'amour. Il se contentait de cocher des cases comme sur un questionnaire. Une agence matrimoniale les aurait sans doute désignés comme un couple idéal, d'autant que l'attirance sexuelle ne manquait pas entre eux. Mais comment oublier que le plus important leur faisait défaut ? Ils n'étaient pas amoureux. Ou plus exactement, l'amour était à sens unique.

Se rappelant la complicité évidente entre Cass et George, elle réprima un soupir. Il était triste de songer qu'Ari et elle ne partageraient jamais cela. Pis encore, elle devait se préparer à une rupture afin de ne pas mourir de chagrin lorsque cela se produirait. Elle n'avait d'autre choix que d'apprendre à vivre sous cette épée de Damoclès.

En attendant, plus elle en savait sur lui, mieux elle serait armée pour leur vie commune…

— Parle-moi de toi, reprit-elle. Tu as évoqué tes

intérêts financiers, quels sont-ils exactement ? Je sais que ta famille produit du vin mais je suppose que ce n'est pas tout ?

Ari se détendit, visiblement ravi de ce changement de sujet. Il détailla les divers investissements des Zavros dans l'immobilier en Espagne et à Dubai, dans les parcs d'attraction et dans l'industrie alimentaire. Ils étaient à la tête d'un empire dont elle n'aurait jamais soupçonné l'étendue.

— Et tu diriges tout ça ? demanda-t-elle, déroutée.

Son compagnon secoua aussitôt la tête.

— Non. Mon père est toujours le capitaine du navire. Je le conseille mais les décisions lui appartiennent. Toute la famille travaille plus ou moins pour lui.

La conversation se poursuivit durant le dîner, qui s'avéra délicieux. Face à eux, le coucher de soleil enflammait le ciel et la mer. Fascinée, elle observa le rouge du ciel virer au pourpre, puis au bleu sombre, tableau en perpétuelle évolution qui s'éteignit soudain pour laisser place à un tapis d'étoiles. Oui, l'endroit était incroyablement romantique. Malheureusement, ils n'étaient pas deux amoureux venus s'abîmer dans le spectacle de la nature. Non, ils étaient des associés potentiels unis par un intérêt commun.

Malgré tous ses efforts, elle ne put retenir longtemps la question qui lui brûlait les lèvres.

— As-tu déjà jamais été amoureux, Ari ? Je veux dire, vraiment ?

— Amoureux ? répéta-t-il comme s'il entendait le mot pour la première fois.

— Oui, tu sais, le cœur qui bat, les mains moites, l'impression que tu ne peux pas vivre sans l'autre…

Comme elle l'avait été de lui, en somme !

Il fronça les sourcils et la dévisagea sans répondre avant de détourner le regard vers l'horizon. Apparemment, la question ne lui plaisait guère. Les coins de ses lèvres tombèrent en une grimace et elle comprit sans qu'il eût besoin de parler ce que cela signifiait.

Oui, il avait été amoureux. Mais pas d'elle.

Et il était fort possible que cela se reproduise…

13.

Amoureux…

Le souvenir était encore cuisant. La seule et unique fois où Ari avait perdu la tête à cause d'une femme… Il avait été son jouet, une véritable marionnette entre ses mains. Amoureux fou, oui, quand elle n'avait jamais songé qu'à s'amuser.

Il en voulait à Christina d'avoir posé la question. Pourtant, s'il lui mentait, même par omission, elle le sentirait et lui en tiendrait rigueur. Et puis il n'avait rien à cacher. Il n'était plus l'adolescent naïf de l'époque. Même s'il répugnait à évoquer cet épisode peu glorieux, il devait la vérité à Christina.

Il se tourna vers elle, un goût amer au fond de la gorge.

— Oui, j'ai été passionnément amoureux, avoua-t-il d'une voix lourde de cynisme. J'avais dix-huit ans. Elle était belle, exotique, incroyablement sensuelle. J'étais prêt à tout pour elle.

— Ça a duré combien de temps ?

— Un mois.

Christina leva un sourcil étonné, puis secoua la tête avant de demander :

— Qu'est-ce qui a mis fin à cette relation ?

— J'ai dû affronter la réalité.

— Et la réalité ne t'a pas plu.

— Je n'avais pas compris ce que je représentais à ses yeux. Je savais qu'elle était plus âgée que moi mais ça n'avait pas d'importance. Rien n'avait d'importance si ce n'était d'être avec elle. Mais tout ce qui l'intéressait, c'était de se distraire et de profiter de ma faiblesse.

— Comment l'as-tu compris ?

— Quand elle m'a dit qu'elle allait épouser le milliardaire américain auquel elle était fiancée. Un type plus âgé que moi, bien sûr. « C'était amusant, non ? » Voilà ce qu'elle m'a dit en partant.

Il avait presque craché les mots et s'en voulut de trahir une telle amertume après tant d'années.

— Elle t'a fait souffrir. Je comprends, murmura Christina.

— Je ne suis pas prêt de tomber de nouveau amoureux si c'est ça qui t'inquiète. Je me suis ridiculisé une fois et je n'ai pas l'intention de recommencer.

— Tu penses que ta raison passe avant ton cœur ?

— C'est mon credo depuis cette époque.

Sauf avec Christina et Théo, concéda-t-il en son for intérieur. Avec eux, il avait fait une exception à cette sacro-sainte règle. Même son avocat pensait qu'il avait complètement perdu la tête en leur offrant ce contrat de mariage.

Mais il ne redoutait plus, à présent, de se montrer infidèle. Leur mariage serait un succès, il y veillerait. Ils auraient d'autres enfants. Une famille…

— J'avais dix-huit ans quand je suis tombée amoureuse de toi.

Tina avait parlé d'une voix douce, mais ses mots lui firent l'effet d'un coup de tonnerre. Il se tourna vers elle. Ses yeux étaient mornes, sans expression, et scrutaient son visage comme pour s'assurer qu'il avait saisi le parallèle : ce qu'il lui avait fait subir à l'époque mais surtout l'ombre que l'expérience avait portée sur sa vision de l'amour.

Il avait juré de ne plus jamais tomber amoureux. Christina ressentait-elle la même chose ? Avait-il ruiné leurs progrès en évoquant le passé plutôt que de se concentrer sur l'avenir ?

Une chose était sûre, il devait absolument corriger l'image qu'elle avait de lui. Il ne supportait pas d'être comparé à la femme qui l'avait humilié.

Avant qu'il puisse trouver les mots pour se défendre, Tina reprit la parole.

— Toi aussi, tu trouvais ça « amusant » à l'époque ?

— Non ! se récria-t-il.

Il se pencha vers elle.

— Il n'y avait personne d'autre dans ma vie ! Je n'étais pas sur le point de me marier, Christina. L'idée de m'amuser avec toi ne m'a jamais traversé l'esprit. Nous étions bien ensemble.

— Pendant un court instant, oui. Quant à cette femme, pourquoi lui en veux-tu ? Elle aussi s'est laissé guider par sa raison plutôt que par son cœur. Comme toi avec moi. Elle t'a quitté parce que tu étais trop jeune… C'est aussi ce que tu m'as dit en partant.

Frustré par son incapacité à s'exprimer, il se leva, prit les mains de Tina et l'attira brusquement contre lui.

— Je te désirais à en perdre la tête, à l'époque. Et j'ai l'impression d'avoir perdu la tête depuis que je t'ai revue. J'ai tellement envie de toi que ça me dévore depuis Dubai. Alors oublie tout le reste, Christina. Oublie tout sauf ça.

Sans songer un instant à ce qu'il faisait, il l'embrassa. C'était une pulsion farouche et totalement irrésistible. Leurs souffles se mêlèrent, un frisson de plaisir presque animal le parcourut quand il sentit la jeune femme fondre entre ses bras.

Elle ne luttait pas. Elle était sienne, corps et âme.

Aussitôt, il sentit son désir s'enflammer. Les courbes de Tina le rendaient fou. Il voulait la posséder. Totalement. Avec un soupir rauque, il la prit dans ses bras et la déposa sur le lit. Tina défaisait déjà, d'une main fébrile, les pans de son kimono. Elle écarta les jambes pour les enrouler autour de sa taille, il sentit les talons de la jeune femme s'enfoncer dans ses fesses.

Avec la même précipitation, il se débarrassa de son peignoir pour libérer son sexe tendu. Lorsqu'il se présenta aux portes de son être, elle était brûlante de désir. Ivre d'excitation, il plongea en elle.

Lorsqu'il la sentit s'ouvrir pour l'accueillir, il dut faire appel à toute sa retenue pour ne pas exploser sur-le-champ comme un adolescent connaissant ses premiers émois.

Il inspira profondément, et parvint de justesse à reprendre le contrôle de lui-même. Puis il tenta d'imposer un rythme plus lent, mais Tina semblait n'en avoir cure. Elle se plaqua contre lui, encore et encore, avec de plus en plus de force.

Le souffle court, il avait la tête qui tournait. Tina lui agrippa la nuque et se cambra contre le lit, la bouche ouverte sur un cri qui ne sortit pas. Il la sentit se contracter, balayée par les premiers spasmes de l'orgasme. Comment aurait-il pu se contenir plus longtemps ? Agrippant ses hanches comme une bouée de sauvetage, il s'enfonça une dernière fois en elle et se perdit en saccades brûlantes.

Lorsqu'il rouvrit les yeux, il se rendit compte qu'il s'était effondré sur elle. Elle le serrait très fort, comme pour le retenir à jamais. Etait-il possible qu'elle ressente la même chose que lui ? Il avait besoin de savoir. Besoin de savoir s'il avait réussi à extirper le passé de sa mémoire une bonne fois pour toutes.

Il prit appui sur ses coudes pour se redresser et regarder son visage. Elle avait les yeux fermés, les joues saupoudrées de pourpre. De ses lèvres entrouvertes, gonflées comme un fruit mûr, coulait une respiration saccadée.

— Regarde-moi, ordonna-t-il.

Il observa avec fascination ses longs cils frémir, puis ses yeux s'ouvrir. Ses pupilles étaient dilatées et une farouche satisfaction le submergea. Il était toujours en elle, toujours rigide. Il sut en cet instant qu'elle ne pourrait plus renoncer à ce plaisir après y avoir goûté.

Puis son regard s'éclaircit, parut faire le point sur son visage. Du bout de la langue, elle s'humecta les lèvres. Il dut se retenir d'y mordre comme dans un fruit mûr. Il savait que, s'il l'embrassait, ils referaient aussitôt l'amour. Et bien qu'il en brûlât d'envie, le plus important pour le moment, c'était de parler.

— C'est maintenant, Christina, dit-il avec ferveur. Oublie le passé. Seul compte l'instant présent. Nous sommes bien ensemble. Dis-le.

— Oui, répondit-elle dans un souffle.

Puis un sourire langoureux étira ses lèvres et elle ajouta :

— Je suis très bien.

Avec gravité, il acquiesça.

— Moi aussi. Et ce sentiment durera aussi longtemps que nous le voudrons. Cette relation peut être formidable si nous lui donnons sa chance, tu comprends ?

Du bout des doigts, il écarta les quelques mèches qui lui tombaient sur le front. Les yeux dans les siens, il murmura :

— Nous regardons droit devant, pas en arrière. D'accord ?

Elle le dévisagea longuement sans répondre et il eut l'impression qu'elle essayait de lire au plus profond de son âme. Il l'avait fait souffrir, autrefois, au point de conditionner sa vision des hommes, de l'amour. Et voilà qu'il lui demandait de tout oublier, de redevenir la jeune femme confiance et optimiste qu'il avait connue. Ce ne serait pas chose facile, il s'en rendait bien compte. Il méritait sa défiance.

Mais ce qui s'était passé des années plus tôt, dans un autre pays, n'avait pas la moindre importance. Ils se devaient de penser à leur fils.

— Tu as apporté le contrat de mariage que tu m'as promis, Ari ?

Ce n'était pas la réponse qu'il avait espérée. Ils avaient beau faire l'amour comme des endiablés, ils avaient beau toucher les étoiles dans les bras l'un de l'autre, Christina ne lui faisait toujours pas confiance. C'était humiliant et, étrangement, douloureux.

— Oui, répondit-il un peu plus sèchement que nécessaire. Il est dans mon sac à dos.

— Et… tu l'as signé ?

— Pas encore.

— Tu le signeras demain matin, si tout se passe bien entre nous ?

— Oui, répondit-il sans hésiter.

Il savait au moins une chose : elle n'avait pas feint son plaisir. D'ailleurs, avait-elle jamais feint quoi que ce soit ? Christina Savalas était honnête et franche. Elle redoutait simplement que lui ne le soit pas. Voilà pourquoi elle exigeait une garantie de sa part. Elle ne voulait pas risquer de perdre son fils. Pouvait-il vraiment le lui reprocher ?

Comme si elle avait lu son trouble, la jeune femme leva la main et lui caressa la joue.

— Je suis désolée. J'aimerais me sentir plus en sécurité avec toi. Et ça viendra peut-être. Je te promets de faire de mon mieux pour te rendre heureux. Si j'échoue et si tu trouves quelqu'un qui te convient mieux, je ne t'empêcherai jamais de voir Théo. J'ai juste besoin de me protéger au cas où toi, tu voudrais me le prendre.

— Je ne ferai jamais une chose pareille, protesta Ari. Tu es sa mère, la personne la plus importante pour lui.

Tina soupira, l'air fataliste.

— Il est impossible de dire ce qui se passera si les choses tournent au vinaigre. Même si notre engagement est sincère, ce mariage est un choix purement intellectuel, pas sentimental. Un jour, ton cœur prendra peut-être les commandes de ta raison et te fera faire quelque chose de stupide. Je sais que c'est possible, c'est exactement pour ça que je t'ai caché l'existence de Théo. La raison voulait que je te le dise, mon cœur m'en empêchait.

Il y avait de la tristesse dans ses yeux. C'était la souffrance d'un cœur brisé. Une blessure dont il était responsable, il le savait. Mais il remplacerait cette tristesse par de la joie, celle de fonder une famille, celle de voir leurs enfants grandir, il en faisait la promesse !

— Tout ira bien, murmura-t-il. Signer ce contrat ne me pose aucun problème. Je veux que tu sentes en sécurité avec moi. Et avec le temps, tu en viendras peut-être à me faire confiance. Tu comprendras que tout ce que je désire, c'est ton bonheur. Je sais que j'ai un lourd passif mais je compte bien te faire changer d'avis sur mon compte.

— Je te crois, Ari, répondit la jeune femme avec un sourire inattendu.

Puis elle enroula les doigts derrière sa nuque et ajouta :

— Et si tu commençais maintenant ?

Il se mit à rire et l'embrassa. Ils firent de nouveau l'amour, prenant leur temps cette fois. Christina n'avait pas la moindre inhibition et Ari eut de nouveau l'impression que le monde lui appartenait, que tout était possible.

Il se sentait léger, presque… heureux. Quel drôle de mot ! Jamais il n'aurait pensé qu'un tel adjectif puisse le décrire. Pourtant, il n'en voyait pas d'autre pour expliquer ce qu'il ressentait en cet instant.

Il ne restait plus qu'à convaincre Christina de partager ce bonheur.

Il faudrait davantage qu'une nuit pour cela, il le savait. Mais il était prêt à se montrer patient.

14.

Une fois la décision prise d'épouser Ari, Tina était bien décidée à ne pas perdre de temps à la regretter. Elle se donnerait tout entière à ce nouveau projet, certaine désormais qu'elle n'avait rien à perdre. Ari avait signé le contrat de mariage et le lui avait confié, ce qui signifiait que Théo était en sécurité.

D'ailleurs ses inquiétudes semblaient pour l'instant vaines. Les Zavros étaient manifestement ravis de l'accueillir en leur sein et Théo était surexcité de se découvrir une famille si nombreuse. Tout se mit en place très vite. Quant à sa mère, elle n'avait évidemment pas hésité un instant à déménager à Athènes, Le père d'Ari se chargerait de l'aider à trouver un logement pendant qu'elles réglaient leurs affaires en Australie.

A sa grande surprise, Ari les accompagna à Sydney. Sitôt arrivé, il organisa la vente du restaurant au chef et au maître d'hôtel. Il avait très certainement graissé les rouages en payant de sa poche pour accélérer la vente, mais elle se garda bien d'aborder le sujet. Elle ne voulait pas paraître ingrate. Et puis, quelle importance au fond ? Sa vie était ailleurs, maintenant.

Elle ressentit cependant un pincement au cœur devant le spectacle de leur appartement vide. Il avait été tout entier mis en cartons par des déménageurs et stocké dans un container à destination d'Athènes. Oui, elle devait reconnaître qu'Ari œuvrait d'arrache-pied pour leur assurer la transition la moins stressante possible. Et sa mère ne tarissait pas d'éloges à son égard.

De fait, elle ne pouvait le prendre en défaut. Il était attentionné, devançait ses besoins, exauçait le moindre de ses vœux. Contre toute attente, il acheta même un trois-pièces hors de prix donnant sur Bondi Beach.

— C'est là que Théo a grandi, expliqua-t-il. L'Australie vous manquera peut-être. Grâce à cet appartement, vous pourrez revenir quand vous voudrez.

Son amour pour son fils était si évident… Oui, elle avait eu raison de décider de l'épouser. D'ailleurs, Théo vénérait littéralement son père. Bien sûr, elle s'inquiétait toujours en son for intérieur de sa fidélité à long terme. Mais cette préoccupation se faisait de moins en moins pressante.

Un mois à peine après leur départ, ils étaient de retour à Santorin. Sa mère prit ses quartiers chez les Zavros en attendant l'arrivée de ses meubles. Maximus, fidèle à ses promesses, lui avait déniché un merveilleux appartement à Athènes et Sophie Zavros avait organisé le mariage en leur absence. La cérémonie devait avoir lieu à la fin de la saison touristique.

Même Cass semblait ravie de l'évolution de la situation. Tenue au courant par e-mail, la jeune femme insista pour acheter la robe de mariée et envoya une avalanche de photos de robes fabriquées par les plus grands couturiers jusqu'à ce qu'elle capitule et en choisisse une. George fut élu comme témoin, la même église et le même lieu de réception réservés. C'était apparemment une tradition chez les Zavros et elle ne fit pas d'objection. Comment aurait-elle pu leur refuser ce plaisir alors qu'ils se montraient si gentils ? Pourtant, elle aurait secrètement préféré se marier ailleurs. Ce lieu lui rappelait trop le mariage idéal de Cass, l'amour que George et elle partageaient.

Le jour venu, le soleil brillait dans un ciel sans nuages. C'était à croire qu'Ari était intervenu pour que la météo soit elle aussi parfaite. Lorsqu'elle s'avança vers l'autel, un sentiment étrange l'envahit : elle ressemblait à une mariée, mais elle n'avait pas l'impression d'en être une. Tout s'était passé si vite…

Mais sa voix ne trembla pas lorsque vint le moment de prononcer ses vœux. Les mots résonnèrent dans la nef, clairs et définitifs. Le pope les déclara mari et femme.

La réception qui s'ensuivit lui parut tout aussi irréelle. Des dizaines de visages flous et souriants défilèrent, des compliments lui furent adressés. En bonne mariée, elle sourit jusqu'à en avoir le visage douloureux.

Ari l'emmena à Odessa en voyage de noces. Surnommée la Perle de la mer Noire, c'était une ville magnifique. Pour la première fois depuis qu'elle avait accepté ce mariage de raison, Tina se détendit. Elle n'avait pas de responsabilités — Théo était gardé par ses grands-parents — et rien d'autre à faire que de passer ses journées à flâner. Ari s'occupait du programme de leurs nuits…

Le temps était encore au beau. Ils passaient les matinées à la plage, déjeunaient au restaurant, exploraient les magasins de la ville et découvraient sa culture. Ils allèrent à l'opéra, dont la façade baroque l'émerveilla. Lorsqu'elle fit part de son émerveillement à Ari, il se contenta de lui sourire.

— Il y a tellement de merveilles en ce monde… Attends de voir Versailles, Rome, Londres…

Fidèle à sa promesse, il l'emmena dans tous ses voyages en Europe durant les six premiers mois de leur mariage. Ils visitèrent l'Espagne, l'Italie, l'Angleterre, la France, l'Allemagne. Il s'agissait de voyages d'affaires mais Ari s'accordait systématiquement quelques jours de tourisme. Quand ils devaient assister ensemble à des dîners d'affaires, Ari veillait à ne jamais la laisser seule. Il la couvrait de cadeaux, de vêtements luxueux et de bijoux derrière lesquels elle masquait sa timidité et son manque de confiance lors de ces événements mondains.

Puis elle tomba enceinte. Tous deux accueillirent la nouvelle avec ravissement mais les nausées matinales furent telles, au cours du premier trimestre, qu'elle dut arrêter de voyager. Chaque absence d'Ari l'angoissait et, à son retour, elle guettait avec anxiété le moindre signe indiquant qu'il se lassait d'elle ou la trouvait moins séduisante. Mais il semblait invariablement ravi de la revoir, et le lui prouvait au lit.

Ari lisait livre après livre sur la grossesse, l'art d'être parent, l'éducation d'un enfant. Il caressait son ventre et parlait au bébé avec une voix comique qui les faisait éclater de rire. Il s'extasiait en sentant l'enfant bouger sous ses larges mains. Et quand il la voyait nue, il semblait la trouver plus désirable que jamais.

Pour autant, il n'était pas question de se bercer d'illusion. Elle savait très bien qu'il n'était pas amoureux d'elle. Elle-même s'efforçait de contenir les sentiments qu'elle éprouvait pour lui. Leur mariage reposait sur leurs enfants, il lui fallait s'en contenter. N'était-ce pas déjà davantage que ce que la majorité des gens partageait ?

Elle était enceinte de huit mois quand le destin décida une nouvelle fois d'infléchir le cours de leurs vies. Elle avait passé une journée en ville avec sa mère pour acheter les derniers éléments de décoration de la chambre du bébé : un mobile à suspendre au-dessus du berceau, une boîte à musique et une lampe qui projetait des ronds de couleur sur les murs,

Toutes deux avaient pris rendez-vous chez le coiffeur pour conclure l'après-midi mais Tina se sentait trop lourde et fatiguée pour s'y rendre à pied. Elles hélèrent donc un taxi et embarquèrent.

Comme elles franchissaient une intersection, un camion fou surgit soudain sur leur droite. La dernière chose que vit Tina fut le visage paniqué du chauffeur qui essayait de reprendre le contrôle de son véhicule, klaxonnant à tout-va pour dégager le passage.

Une fraction de seconde avant l'impact, elle pensa *Le bébé !* et eut le réflexe d'enrouler ses bras autour de son ventre.

Puis tout devint noir.

Ari ne s'était jamais senti aussi inutile de sa vie. Il ne pouvait rien faire, absolument rien, pour régler ce problème. Il devait faire confiance aux médecins. C'étaient eux les experts, son seul recours. Quant à lui, il n'avait d'autre choix que d'attendre. Attendre, encore et encore.

Dieu merci, ses parents s'occupaient de Théo. Ils étaient venus de Santorin chercher le petit garçon à l'école et l'avaient ramené avec eux. Théo ignorait tout de l'accident et pensait que ses parents étaient partis en voyage. Il n'avait pas la force de lui parler. Pour lui dire quoi, d'ailleurs ? Non, la vérité, quelle qu'elle soit, lui serait communiquée plus tard.

Il avait aussi refusé que ses sœurs viennent s'occuper de lui. Il ne voulait pas être consolé. Il voulait juste que Christina survive. Comment aurait-il pu vivre sans elle ? Cette simple idée le terrifiait.

Cassandra était venue de Rome pour s'occuper de leur mère mais Helen était hors de danger. Elle avait un traumatisme crânien, quelques bleus, un bras luxé. Dans moins de vingt-quatre heures, elle quitterait l'hôpital. Christina, en revanche…

Clavicule cassée, enfoncement de la cage thoracique, perforation du poumon… Le diagnostic lui avait paru interminable. Heureusement, le cœur du bébé battait toujours quand Christina avait été admise aux urgences et placée en coma artificiel. Dans la pièce attenante, l'enfant, son enfant, était en train d'être mis au monde par césarienne.

Son deuxième enfant… Un frère ou une sœur pour Théo. A cette pensée, sa poitrine se serra encore davantage. Tina et lui avaient attendu sa naissance avec tant d'impatience ! A présent, l'heureux événement était dans les mains des médecins. Et le bébé n'aurait peut-être pas de mère…

Non ! se réprimanda-t-il aussitôt. Il ne devait pas penser à cela. C'était à lui de se montrer optimiste, positif, d'envoyer toute son énergie à Tina. Il ne supporterait pas de la perdre. C'était tout simplement inenvisageable.

L'un des médecins à qui il avait déjà parlé entra dans la salle d'attente, suivi d'une infirmière. Aussitôt, il se redressa, poings serrés comme pour se battre. Mais son seul ennemi était la terreur qui lui tordait le ventre.

— Ah, monsieur Zavros. Je suis heureux de vous annoncer que la césarienne s'est bien passée. Vous êtes le papa d'une petite fille.

La nouvelle effleura la surface de sa conscience sans y pénétrer vraiment. Comme engourdi, il fixa le praticien en silence.

— Votre femme est en salle d'opération. Le bébé a été mis en couveuse et…

— Pourquoi ? le coupa-t-il, soudain inquiet.

— Simple mesure de précaution, monsieur Zavros. Elle est née un mois avant terme, c'est la procédure normale.

— Oui, oui, bien sûr… Et… Christina ? Est-ce qu'elle va s'en sortir ?

— Il est difficile d'être catégorique mais je suis optimiste. S'il n'y a pas de complication…

Le médecin haussa les épaules et ajouta :

— Elle est jeune. C'est un atout. Vous voulez voir votre fille maintenant ?

Sa fille. Leur fille. Il se sentait tout drôle à l'idée de la voir sans Christina. Et pourtant, quelqu'un devait accueillir cette petite vie, lui souhaiter la bienvenue dans le monde.

— Oui, s'il vous plaît, répondit-il d'un ton bourru.

L'infirmière le conduisit jusqu'à la maternité. Sa fille dormait dans une couveuse, si petite qu'il fut de nouveau assailli par un sentiment d'impuissance. Il ne pouvait rien, en cet instant, pour sa femme ou son enfant. Il n'avait d'autre choix que de les abandonner à des mains étrangères.

Un sourire involontaire se forma sur ses lèvres comme il étudiait la tignasse noire du bébé. Elle avait les cheveux de Christina. Ses lèvres étaient parfaitement dessinées, comme celles de sa mère.

— Vous voulez la toucher ?

— Oui.

L'infirmière ouvrit la couveuse. Avec d'infinies précautions, il effleura la main minuscule de sa fille. Il tressaillit lorsqu'elle ouvrit les paupières sur des yeux chocolat et lui agrippa le doigt.

— Je suis ton papa, murmura-t-il.

Le nourrisson poussa un soupir de contentement et referma les yeux.

— Dors. Je veille sur toi…

Mais l'enfant aurait aussi besoin de sa mère. Il lança une prière silencieuse vers les cieux, puis regagna la solitude de la salle d'attente.

15.

Six semaines… Six semaines interminables, les plus longues de la vie d'Ari. Les médecins lui avaient expliqué qu'il était préférable de maintenir Christina dans un coma artificiel pendant sa convalescence. Ils l'avaient aussi prévenu qu'elle serait sans doute confuse lorsqu'elle se réveillerait. Les rêves du coma lui paraîtraient d'abord plus réels que la réalité même. Il devait se préparer à un temps d'adaptation qui pouvait s'avérer difficile.

A vrai dire, il s'en moquait. Rien ne lui faisait peur tant que Christina lui était rendue. Mais il avait beau s'être préparé mentalement, il éprouva un choc la première fois qu'il rentra dans la chambre de sa femme et qu'elle le fixa sans avoir l'air de le reconnaître.

— Tout va bien, murmura-t-il en lui prenant la main. Tu es tirée d'affaire.

Des larmes emplirent aussitôt les yeux de Christina.

— J'ai perdu le bébé.

— Non, répondit-il aussitôt. Nous avons une fille magnifique. Elle est en pleine forme et Théo l'adore. J'ai choisi Maria, ton prénom préféré. Elle te ressemble.

Mais les larmes continuèrent de couler. Il lui parla de l'accident, de la césarienne, de leur fille. Christina le fixait mais il n'était pas sûr qu'elle comprenne ce qu'il lui disait. L'expression de tristesse ne quittait pas son beau visage. Enfin, elle ferma les yeux et se rendormit.

Il emmena Théo et Maria lors de sa visite suivante,

déterminé à rassurer sa femme. De nouveau, elle ouvrit les yeux et murmura :

— J'ai perdu le bébé.

— Non, répéta-t-il. Le bébé va bien. Regarde, elle est là.

Il plaça Maria dans ses bras et entreprit de nouveau de lui expliquer ce qui s'était passé. Théo, surexcité de voir sa mère enfin réveillée, parla ensuite sans discontinuer de sa petite sœur. Christina lui sourit et s'endormit avec le bébé dans les bras.

Mais à chaque visite, le même scénario se reproduisait. Christina était persuadée d'avoir perdu le bébé et ne se rappelait pas avoir vu Ari la veille. Inquiet, il s'en ouvrit aux médecins. Ils lui répondirent doctement que le corps avait besoin d'un certain temps pour éliminer toutes les substances qui l'avaient maintenu dans un coma artificiel. Mais à ce stade, personne ne pouvait se prononcer quant à d'éventuelles séquelles de l'accident.

Il continua donc ses visites quotidiennes, priant pour un miracle.

Deux semaines plus tard, il eut le sentiment d'être exaucé quand Christina ouvrit les yeux et lui sourit aussitôt.

— Ari !

Il sentit son cœur bondit dans sa poitrine, puis retomber comme une pierre quand la jeune femme se rembrunit et murmura :

— Je suis désolée. J'ai perdu le bébé.

— Non !

Encouragé par l'impression qu'elle l'écoutait vraiment, cette fois, il lui expliqua de nouveau la situation. Le regard de Christina s'illumina à mesure qu'il parlait, puis le sourire revint sur son visage.

— Une fille ! s'exclama-t-elle avec émotion. C'est merveilleux.

Une bouffée d'euphorie s'empara d'Ari. Cette fois, il en était sûr : Christina était en pleine possession de ses moyens.

— Elle est très belle. Elle te ressemble.

— Et Théo ? demanda la jeune femme, soudain inquiète. Ça fait combien de temps que je suis ici ?

— Deux mois. Théo va bien. Tu lui manques mais il est très occupé avec sa petite sœur. Je viendrai avec eux la prochaine fois.

— Maria... Mon Dieu, je suis tellement contente de ne pas l'avoir perdue...

— Et moi, je suis content de ne pas t'avoir perdue toi.

— Vraiment ?

Ari soupira. De nouveau, cet air méfiant était apparu dans les yeux de Christina, comme si elle doutait de sa sincérité. Sa garde était de nouveau relevée, elle s'était barricadée en elle-même. Il aurait dû l'ignorer, se réjouir de la voir recouvrer la santé, mais l'impatience qui le rongeait était trop forte. Il ne pouvait pas, il ne devait pas, se taire plus longtemps.

— Tu te rappelles quand je t'ai parlé de cette femme dont j'étais amoureux à dix-huit ans ? demanda-t-il.

— Oui...

— Ce n'était qu'une toquade, je l'ai compris. Je ne la connaissais pas assez pour l'aimer vraiment. Cette année passée auprès de toi m'a appris ce qu'était l'amour.

A ces mots, Christina écarquilla les yeux. Mais elle continua de le dévisager en silence.

— Si tu n'avais pas survécu à cet accident, je ne m'en serais jamais remis. Je t'aime, Christina, c'est aussi simple que cela. Je t'aime et je ne veux pas que tu me quittes.

— Que je te quitte ? répéta-t-elle avec un rire incrédule. C'est moi qui ai toujours peur que tu me quittes.

— Alors rassure-toi. Parce que ça n'arrivera jamais. Je serai toujours là pour toi.

Tina voulait le croire. Elle ne demandait que cela. Mais sortir d'un cauchemar pour tomber en plein rêve éveillé, c'était presque trop. Elle leva la main pour la passer sur son front et se figea.

— Mes cheveux !

— Ils vont repousser. Il a fallu les couper pour l'opération.

Elle étouffa un sanglot. Ari aimait les cheveux longs, c'était pour lui qu'elle les avait laissés repousser après leur mariage. Elle se rappela qu'elle se rendait justement chez le coiffeur au moment de l'accident et…

— Ma mère !

— Elle va bien. Elle n'a été hospitalisée qu'une journée.

— Qui s'occupe des enfants ?

— La nourrice, mes parents, toute la famille. La maison est un vrai hall de gare.

Aussitôt, la peur se dissipa, laissant place à un étrange sentiment de jalousie à l'idée qu'une nourrice s'occupait de sa fille.

— Je veux rentrer, Ari.

— Dès que les médecins le permettront. Dors maintenant. Plus tu te reposeras, plus vite tu sortiras.

Mais Tina ne se reposa pas. Ari à peine parti, une armée de médecins le remplaça pour lui poser des questions, faire des tests, retirer des tubes et des sondes. Ils lui apprirent que son mari avait passé chaque jour de longues heures à son chevet. Dans leur esprit, il ne faisait aucun doute qu'Ari l'aimait.

Elle-même commençait à y croire.

Le lendemain, Théo déboula en courant dans sa chambre.

— Maman ! Je peux te faire un câlin ?

En riant, elle lui fit une place sur son lit puis leva les yeux en voyant Ari entrer avec leur fille dans les bras.

— Et voilà ma petite sœur ! s'exclama Théo avec fierté.

Une bouffée d'amour la submergea quand Ari lui confia leur fille. Elle était tout simplement parfaite, ses yeux vifs et mobiles sous une tignasse de jais.

— Je t'aime, Ari, murmura-t-elle.

— Moi aussi. Je remercie Dieu chaque jour de t'avoir sauvée.

Une nouvelle vie s'annonçait, songea-t-elle avec émotion. Pas seulement pour le bébé dans ses bras mais pour Ari, Théo et elle. Ils formaient à présent une famille, une vraie.

Elle avait enfin exaucé le rêve de son père.

C'était de nouveau l'été à Santorin. Et, de nouveau, leurs familles s'étaient réunies pour assister au baptême de Maria. La même église, le même lieu avaient été choisis pour la réception. Mais cette fois, pour Tina, c'était véritablement une occasion joyeuse, une célébration de la vie et de leur amour.

Le soleil brillait dans un ciel d'un bleu profond. A plusieurs reprises durant les réjouissances, elle croisa le regard de son mari et y lut du désir. De fait, lorsque la nuit tomba et que les enfants furent couchés, il l'entraîna vers leur chambre, impatient de lui faire l'amour.

Mais avant cela, elle tenait à faire une chose.

Elle avait rangé leur contrat de mariage dans un tiroir et l'en sortit sitôt entrée dans la pièce.

— Je veux que tu le déchires, annonça-t-elle, le tendant à Ari.

— Ça ne me dérange pas que tu le gardes. Je tiens à ce que tu te sentes en sécurité.

— Non. Il représente une époque révolue de nos vies. Si tu me demandais en mariage aujourd'hui, je n'exigerais plus ce document. Je te fais confiance. Toi et moi, c'est pour toujours.

Il sourit, visiblement ému, avant de déchirer le contrat.

— Pour toujours, répéta-il avec ferveur. N'en doute jamais.

Ne manquez pas, dès le 1er octobre

***LA MARIÉE D'UNE SEULE NUIT**, Carol Marinelli* • N°3396

Alors qu'elle s'avance vers l'autel où l'attend Niklas dos Santos, Meg sent un bonheur intense et un envoutant parfum de liberté l'envahir. Oui, c'est bien elle, la si sage Meg, qui s'apprête à épouser ce bel inconnu ! Certes, ils n'ont partagé qu'une journée, faite de passion brûlante et de confidences murmurées... Mais ces instants ont été si merveilleux qu'elle est sûre qu'un lien puissant et indestructible l'unit à Niklas. Hélas, au petit matin, celui-ci la rejette violemment. Et Meg doit, dès lors, se rendre à l'évidence : l'homme dont elle vient de tomber éperdument amoureuse ne compte rien lui offrir d'autre que ce mariage d'une seule nuit...

***UN SI SÉDUISANT PLAY-BOY,** Susan Stephens* • N°3397

Nacho Accosta ? Grace n'en revient pas. Par quel cruel coup du destin se retrouve-t-elle dans cette hacienda éloignée de toute civilisation, en compagnie du seul homme dont la présence suffit à la bouleverser ? Sa voix chaude, son charme ravageur, tout chez Nacho la fait vibrer. Comme autrefois. Seulement voilà, si elle a autrefois connu la passion entre ses bras, elle sait qu'aujourd'hui plus rien n'es possible entre eux. Comment pourrait-elle encore, trois ans après leur dernière rencontre, éveiller l'intérêt – et le désir – de ce play-boy farouchement indépendant qui collectionne les conquêtes ?

***L'ÉPOUSE D'UN SÉDUCTEUR,** Jane Porter* • N°3398

Depuis qu'elle a quitté le domicile conjugal, cinq ans plus tôt, Morgane a soigneusement évité de croiser la route de Drakon Xanthis, l'époux qu'elle a tant aimé, malgré la blessure qu'il lui a infligée par son indifférence et sa froideur constantes. Mais, aujourd'hui, elle n'a pas le choix : elle affrontera Drakon - puisque lui seul a le pouvoir de sauver son père - et tournera enfin la page de leur histoire. Hélas, quand elle le voit apparaître en haut de l'escalier de cette maison qu'ils ont un jour partagée, Morgane comprend que ces retrouvailles, loin de lui apporter la paix, sont une nouvelle épreuve pour son cœur. Car les émotions que Drakon éveille en elle sont toujours aussi puissantes, et aussi dangereuses...

UNE ORAGEUSE ATTIRANCE, *Natalie Anderson* • *N°3399*

Lorsque son patron lui demande de *tout* faire pour faciliter le travail de Carter Dodds au sein de l'entreprise, Penny est horrifiée. Non seulement Carter ne voit en elle qu'une femme vénale et ambitieuse, mais il ne cherche même pas à dissimuler son intention de la mettre dans son lit. Une intention dont Penny se serait volontiers moquée si, elle ne ressentait pas elle-même la force irrésistible du désir. Un désir qui la pousse inexorablement vers Carter...

POUR L'HONNEUR DES VOLAKIS, *Lynne Graham* • *N°3400*

Lorsqu'elle accepte d'accompagner sa demi-sœur à la campagne, le temps d'un week-end, Tally n'imagine pas que ces quelques jours vont bouleverser sa vie à jamais. Et pourtant… A peine l'irrésistible milliardaire Sander Volakis pose-t-il les yeux sur elle que déjà, elle se sent gagnée par une intuition folle : il s'agit de l'homme de sa vie. Une intuition qui se confirme à la seconde même où il lui donne un baiser ardent, passionné...

Volume Exceptionnel 2 romans inédits

Hélas, le conte de fées tourne vite au cauchemar. Car, quelques semaines plus tard, lorsque Tally découvre qu'elle est enceinte, Sander entre dans une colère noire, avant d'exiger, quelques jours plus tard, qu'elle l'épouse. Bouleversée, Tally comprend alors qu'elle va devoir, pour le bien de son enfant à naître, se lier à un homme qui ne partage en rien ses sentiments. Un homme qui semble, en outre, lui cacher un terrible secret...

UN BOULEVERSANT DÉSIR, *Lucy King* • *N°3401*

Si quelqu'un lui avait un jour prédit qu'elle vivrait l'expérience la plus bouleversante – et la plus érotique – de sa vie à l'arrière d'une voiture, dans les bras d'un séducteur, Bella aurait éclaté de rire. N'a-t-elle pas toujours été raisonnable ? Et ne sait-elle pas exactement ce qu'elle attend d'un homme : de l'engagement, de la stabilité ? Tout ce que Will Cameron, aussi beau et troublant soit-il, ne pourra jamais lui offrir ! Mais alors que Bella a pris la ferme résolution d'éviter désormais tout contact avec Will, ce dernier lui propose un contrat qu'elle ne peut refuser. Un contrat qui l'obligera à travailler à ses côtés pendant un long mois...

UN PRINCE À SÉDUIRE, *Maisey Yates* • *N°3402*

Depuis l'échec de son mariage, Jessica s'est fait une spécialité de déceler les infimes détails du quotidien qui font les couples solides et unis. Elle en a même fait un art : son agence matrimoniale est réputée dans le monde entier. Aussi, quand le prince Stavros fait appel à ses services, se fait-elle un devoir d'ignorer l'attirance qu'il lui inspire et de se mettre à la recherche de l'épouse idéale. Celle qui saura régner à ses côtés, lui donner des héritiers et ne rien exiger de lui – surtout pas de l'amour. Mais lorsqu'après une troublante soirée, Jessica se réveille dans les bras de Stravros, elle n'a plus qu'une peur : celle de trouver la femme qui l'éloignera à jamais de cet homme qui lui a fait perdre la raison...

L'ORGUEIL DE JACOB WILDE, Sandra Marton • *N°3403*

- Indomptables séducteurs - 1ère partie

« Vous n'êtes qu'un mufle égocentrique et arrogant, Jacob Wilde ! » A ces mots, Jacob reste un moment interdit. Le moins qu'on puisse dire, c'est qu'Addison McDowell, ne semble pas impressionnée par lui. Et s'il ne se souvient même plus de la dernière fois où quelqu'un a osé le défier de la sorte, il doit avouer que le tempérament de feu d'Addison a un pouvoir étrange sur lui, celui d'éveiller son intérêt – et son désir. Serait-il temps pour lui de sortir de l'isolement dans lequel il s'est muré ? En tout cas, reprendre goût à la vie entre les bras d'une femme comme Addison lui apparaît soudain comme le plus excitant des projets. Et comme le plus savoureux des défis...

PASSION POUR UNE HÉRITIÈRE, *Lynne Raye Harris* • *N°3404*

- La couronne de Santina - 7ème partie

Enceinte ? A cette nouvelle, Anna sent son estomac se nouer. Certes, elle a toujours souhaité devenir mère, mais lorsqu'elle a cédé au désir que lui inspirait le séduisant Léo Jackson, jamais elle n'a imaginé qu'elle se retrouverait liée à ce séducteur impénitent par le plus puissant des liens. Bouleversée, mais résolue à protéger l'enfant qui grandit en elle, elle n'a pas d'autre choix que de proposer à Léo un arrangement insensé : un mariage de façade. Mais lorsqu'elle comprend que Léo entend faire d'elle sa femme dans tous les sens du terme, elle sent ses résolutions vaciller. Saura-t-elle protéger son cœur de cet homme qu'elle n'a pu oublier ? Qu'adviendra-t-il lorsqu'il se lassera d'elle ?